なぜ、トヨタはテキサスに拠点を移したのか？

倉石灯・中野博

アメリカ経済の未来を左右する「テキサス州」の戦略

日本実業出版社

はじめに

■ありえないことが起こり続ける時代に突入した！

「え！　マジか？」

このセリフは、トヨタとソフトバンクが初の共同で新会社設立をした際、記者会見後の対談の席で（２０１８年10月４日）、孫正義さんが語ったものです。

トヨタは、今の時代を自動車業界１００年に一度の大変革期と位置づけ、【ありえない時代】に向けて大きく舵を切り始めており、ソフトバンクは常に時代の先を見据えて、【ありえない時代】に起きることを先取りしてきました。

この2社は、日本の時価総額ランキングで1位と2位に君臨する企業だけに、【ありえない時代】の幕開けとなる衝撃的なニュースでした。

この2社が自動運転時代を見据えたMaaS（Mobility as a Service）事業で手を組んだわけですが、２０１８年1月の時点ですでに予兆がありました。例えば、豊田章男社長は1月6日に、米国最大のテクノロジー・イベントであるＣＥＳ（コンシューマー・エレクトロニクス・ショー）において、トヨタの位置づけをもはや自動車メーカーではなく、モビリティサービスの会社になると宣言したのです。

その後、私たちが取材を重ねている際にも、多くの社員たちから、この【モビリティサービス】という言葉を何度も聞き、トヨタ社内ではトップである豊田章男社長のビジョンが行き渡っているなと、取材を通じて強く感じていました。

【ありえない時代】に向かう日本のトップ企業であるトヨタは、かなり以前からソフトバンクに接触していたことが、この共同記者会見及びトップ同士の対談で明らかになりましたが、それにしても、トヨタとの業務提携について孫正義社長の歓喜の声は、日本中の経営者だけでなく、ビジネスパーソンにも大きな影響を与えたことでしょう。

例えばこの発言です。

「これだけ世界で活躍する王者中の王者（トヨタ）が気軽に心を開いて、一緒に新しいことをやっていこうと我々（ソフトバンク）に声をかけてもらえること自体が、〝時が来た〟

のだと思う」

ところで、あなたは、トヨタとソフトバンクの提携を、予想できたでしょうか？　また、この事実を知って、未来に対してなにを感じたでしょうか？

今回の提携については、トヨタから声をかける形でソフトバンクと若手を中心にワーキンググループを組成し、提携に向けて検討したといいます。

発表会に登壇したソフトバンクグループ会長兼社長の孫正義氏は、提携の話について「最初、聞いたときは『本当か』と驚いたというのが正直な感想」としつつ、「流れは自然にそういう方向にあったのかなと非常に嬉しく思った。世界のトヨタと我々が提携して事業を開始できると思っただけでワクワクする」と心の高まりを見せたという主旨の記事が、日本中だけではなく、世界のマスコミでも話題になりました。

実は私たち（中野・倉石）は、かなりの時間をかけてテキサス州の経営戦略に早くから注目して現場取材を続け、丹念に調査をしてきた中で、【ありえない時代】を予感していました。

■トヨタがカリフォルニアを離れて、テキサスに移転とは？

次に、このセリフをいって話題になったのは、トヨタが60年間も拠点を置いていたカリフォルニア州のトーランス市の市長です。もちろん、意訳なので正確ではありませんが、ニュアンスはこんな感じの落胆の声。

「え！　マジか？」

トヨタは１９５７年からカリフォルニア州のトーランス市に米国本社を置き、トーランスにおける雇用の５％以上を占める最大の雇用主だったからです。経済波及効果についても、５～10％くらいとの分析もあり、トヨタのテキサス州への移転は、トーランス市にもトヨタの恩恵を受けていた方たちにも激震が走ったに違いありません。

トーランス市の行政を担うトップである市長にしてみたら、寝耳に水の大事件であり、市の税収の落ち込みは深刻でしょう。これまでトヨタの恩恵があまりにも大きかっただけに、記者会見ではショックを隠せませんでした。

しかし、どんなにトヨタの影響力が巨大とはいえ、トヨタは民間企業の一つであり、どこの土地に本社を構えようと自由です。そんなトヨタが移転先に選んだのが、テキサス州のプレイノ市。

ダラスとかヒューストンのような大都会ではありません。プレイノ市なのです。

あなたは、このプレイノ市をご存知でしょうか？

２０１７年度において、このプレイノ市は、全米で最も安全な都市ランキングの第１位に輝いた超治安の良いところです。

アメリカで超治安の良いところというのは、おそらく、日本のどんな都市よりも治安がいい。とにかく徹底的に治安が守られている都市なのです。詳細は本文で紹介しますが、そんな場所をトヨタは時間をかけて選び、２０１７年に本社を移転しました。

おそらく、この事実を知っている人は、日本ではごく少数でしょう。それほど、この出来事は、【ありえない時代】の先駆け的なニュースでありながら、日本ではマイナーです。

カリフォルニア州における日本人には最もメジャーなニュースですが、日本では超マイナーなのです。

さて、ＡＩ時代の今だからこそ、トヨタがソフトバンクに提携話を持ちかけたように、今の時代、いや今後、日本では「まさか！」という話が続々と発表されるに違いありません。それほど、時代は急速に動き、世界は人類史上最速のスピードで動き出していると、テキサス州にくると感じざるを得ません。

ぜひ、あなたにも本書を通じて、同じことを感じてほしい。それは、今のマイナーが明日のメジャーに、いや、常識になることが次々と起きようとしているということなのです。

■プレイノ市長が歓喜した「トヨタ・エフェクト！」

ところで、あなたはトヨタにどのような印象を持っていますか？

日本で最強の企業？　日本を代表するグローバルカンパニー？　人によって、トヨタに対する印象の差はあるでしょう。

私、中野博はかつて、トヨタグループの一翼であるデンソーに勤務していたことがあるため、内部からトヨタの強みを知っているし、トヨタのおかげ、というセリフを愛知県では日常的に聞いていました。

そう、トヨタのおかげ。

英語でいうと、「Toyota Effect（トヨタ・エフェクト）」といいます。このトヨタ・エフェクトという言葉はプレイノ市長から聞きました。あの【Amazon Effect（アマゾン・エフェクト)】を意識した言葉です。

アマゾン・エフェクトとは、アマゾンが与えるさまざまな影響のこと。例えば、書店や家電販売店などあらゆる商店に直接与える影響だけではなく、間接的には関連産業や施設や地域経済・雇用など、さまざまな形で無限に広がる影響のことです。

世界を代表するアマゾンは、最近では、第2本社をどこに置くかでも大きな話題となっていました。

実は、このアマゾン・エフェクトに近いレベルの話が、トヨタ・エフェクトなのです。愛知県、特に三河地域に住んでいる方には、このインパクトは理解できるでしょうが、愛知県以外の方にはわかりにくいかもしれないので、トヨタ・エフェクトのインパクトについて、少しご紹介しましょう。

トヨタ・エフェクトとは、トヨタという一つの企業が与える影響のこと。影響する範囲は、直接的には、トヨタが本社や工場など拠点を置く地域の自治体に大きな影響を与えます。まさに、トヨタ・エフェクトの地域経済版です。

トヨタのおかげで、地域が潤い、働く会社があることで、家庭の円満にもつながっています。さらに、産業界（商店含め）で見てみましょう。かつて子会社からスタートしたデンソーは、今では5兆円規模の売上レベル、アイシン精機の4兆円レベルや豊田自動織機の2兆円などデンソーを入れた御三家合計で10兆円超です。

当然、トヨタと取引関係にある自動車関連企業や素材企業はトヨタのおかげで、下請けの企業やネジ屋などの匠の技を持つ個人店まで入れると、およそ5万社以上20万人以上の社員が関わっています。

そして、この社員の家族を入れると、50万人は軽く超える規模を持つのが、トヨタグループであり、これがトヨタ・エフェクトのベースとなっている規模感（大きさのイメージ）です。

これで、少しはアマゾンに近いレベルという意味がわかっていただけると思います。

さらに、トヨタ関連企業と取引する銀行や証券、保険などの金融業界、そして生協や旅行など各種企業にも大きな影響を与え、この規模は実に100万人は軽く超えると、未来生活研究所（所長・中野博）では分析しています。

間接的な影響まで考えると、あなたにもトヨタ・エフェクトは及んでくるはずです。

トヨタがテキサス州のプレイノ市に移転したことで、プレイノ市自体の税収は格段に上がることになりますが、それだけではありません。

多くの地域経済にも影響を与えているのです。これが、トヨタ・エフェクトであり、プレイノ市の市長が歓喜した意味も理解できることでしょう。

■なぜ、テキサスが選ばれたのか?

私はこの質問に対する答えを見つけるために、東京から約1万5000キロも離れたテキサスに何度も何度も出張し、取材をし続けてきました。東京と大阪間が約580キロなので、東京・大阪間を10往復したらテキサスです。

東京とハワイが約6000キロ、東京とロサンゼルスが8500キロですから、テキサスは日本にいるとかなり遠く感じるかもしれません。

しかし、テキサスにいてアメリカ全土へ出張することを考えると、テキサス、とりわけダラス市ほど利便性が高い場所はないことに気がつきます。

アメリカの国土面積は日本の約25倍あり、テキサス州だけでも日本の2倍の面積です。

こんなにも大きなアメリカ全土へ移動するのに、テキサス州のダラスは、すべての都市に飛行機であれば日帰りで行けてしまいます。

でも、こんな情報でさえ日本では知られていません。知らない人がほとんどなのも当然で、日本のメディアが伝えるアメリカは、政治情報のワシントン、景気情報のニューヨーク、エンタメ情報のロサンゼルスというように、狭い範囲のアメリカの今を伝えているに過ぎないからです。

著名な経済学者・ドラッカーはこう語っています。

「重要なことは『すでに起こった未来』を確認することである。すでに起こってしまい、もはやもとに戻ることのない変化、しかも重大な影響力をもつことになる変化でありながら、まだ一般には認識されていない変化を知覚し、かつ分析することである。」

『すでに起こった未来』（P・F・ドラッカー、ダイヤモンド社）313ページより

そう、アメリカのみならず私たち日本の未来、そして日本人の未来を予測するためには、ここテキサスで起きている、日本のメディアが伝えない〝些細な変革（実は大きなイノベ

ーション)〟を見逃すわけにはいかないと感じた私は、「今、伝えないでいつ伝えるのか！」と、いても立ってもいられなくなったのです。

《ジャーナリストは、現場取材が生命》なので、ジャーナリストでもある私は、テキサスの実態をこの目で、いや五感で感じ、分析するためにも、体当たりで現場の取材をしてきました。

私は変人なので（笑）マイナーなテーマが好き。日本において、テキサスの存在感はまだマイナー、いや無名に近いかもしれません。

でも、マイナー・ハンターにとってはテキサスはたまらないほど、魅力の宝庫なのです。

ここで、自己紹介を兼ねて、私がこれまで狙ってきたテーマを紹介しましょう。

まず、１９９１年に地球環境をテーマとして取材を開始しました。１９９７年より環境をテーマとして次々と論文や記事を発表し、１９９９年以降、15冊以上も環境をテーマにした本を出版してきました。今ではメジャーなテーマである環境も、かつてはマイナーだったのです。

次に、２００９年より東洋思想や禅の世界観、さらには帝王学や運命学などをテーマにしてきました。それらを２０１１年より論文や記事としてまとめ、さらに講座までも立ち上げて、２０１５年からは本も3冊ほど出版してきました。

この二つはマイナーなテーマでありながら、日本にとって、そして日本人にとってかなり大きなテーマであり、永続的なテーマであると思います。そんな私は２０１３年から、あることがきっかけでテキサスに興味を持ち、日本人が知っておくべき未来のテーマであると感じ始めたのです。

その最大の理由は、世界における地球環境変化と人口動態変化です。

まず、地球環境変化により、日本には自然災害が増えることを２０１３年に気がつきました。これにより、日本人や日本の企業にとって、安全な国や地域にリスクヘッジとして移動することを視野に入れるべきではないか、と調査と分析を始めたのです。

次に、人口動態変化ですが、これは多くの人たちが悩んでいるテーマでしょう。特に、会社の経営者やビジネスの最前線にいる方、商人の方は深刻です。

今後、日本では確実に市場が小さくなる。つまり、お客が減るため、経済的に苦しくなることが明白だからです。

このため、大企業は市場を求めて海外展開をするしかなく、中小零細企業経営者も今や、地元密着だけでは先がなくなり始めています。企業がこんな状態だから、当然、勤務するビジネスパーソンたちも、海外に出稼ぎに出る時代になってきました。この現象は、すでに２０１３年以前から起きています。

私はジャーナリストとして、常に、いろんなことに興味を持ち、アンテナを立てています。一方、コンサルタントとしては、常にクライアントの利益や未来のために最適なビジネスチャンスをうかがっています。

そして経営者として、日本の未来を憂い、日本人の未来の輝かしい場所やビジネスの種を探し、ビジネスチャンスを創りあげてきました。

今回のテーマである「テキサス」は、現在の日本人にはマイナーです。しかし、マイナーというのは、多くの日本人の関心がなかっただけで、ビジネスチャンスという意味でのマイナーではありません。

むしろ、ビジネスに深く関与する経営者、とりわけ大企業の幹部の間では、テキサスは超メジャーでしょう。さらには、投資家や資産家の間では、世界の中で、今最も熱い場所といえるのがテキサスです。

真に価値のある情報は、あまり流通しません。

だからこそ、先に情報をキャッチし、《実践したもの勝ち！》なのです。

例えば、先に述べたように、日本で売上規模No.１を誇るトヨタは、すでに米国本社をテキサス州のプレイノ市に移転しました。

このプレイノ市をご存知の方は、テキサス通にとどまらず、未来の扉を開けた人に違いありません。なぜなら、このプレイノ市は、全米No.１の住みたい街になった、成長真っただ中の都市だからです。

■出会いにより人の未来は大きく変わる！

ところで、あなたはテキサスをサボテンとカウボーイが有名なだけの田舎町だと思っていないでしょうか？

テキサスの魅力を一言で言い表す素敵なフレーズがあります。

それは、「なければ、創ればいいじゃないか！」です。

私が今回取材してきた中で最も印象的なフレーズです。こうした積極的な意志があったうえで、テキサスでお会いした人たちから感じたのが、「生き残れるのは、環境に変化したものだけ！」というサバイバルマインドでした。

この「なければ、創ればいいじゃないか！」という攻めの姿勢がテキサス中に響き渡っているかのように、テキサスには新しい技術、モノ、ヒト、サービスがたくさんあります。だからこそ、テキサスに来ると未来を感じるし、起業マインドだけではなく投資マインドも高まるのです。

そもそも、アメリカには「アメリカンドリーム」という言葉があり、今もこのアメリカンドリームを追い、実現しようとする人たちが後を絶ちません。この10年以上はアメリカ人だけではなく、世界中の夢を持った人たちがアメリカンドリームを追い、アメリカにやってきています。

その中でも、ここテキサスに世界中の投資家や起業家たちが集まる理由は、テキサス州の政策的仕掛けが大きいのです。詳しくは本文でお伝えしますが、ここで簡潔にお伝えしておくと、次の三つです。

1：地政学的な絶対優位性

2：テキサスは州法人税ゼロ、個人所得税ゼロ

3：ビジネスフレンドリー。企業に優しいテキサス

まず、地政学的な絶対優位性とは、陸・海・空の交通網すなわち全米どこに行くのにもアクセスが良く、地の利が抜群である点です。

次に税制ですが、テキサス州の掲げる「州法人税ゼロ、個人所得税ゼロ」は強烈な宣伝効果があります。特に法人にとって圧倒的優位な税制であり、世界レベルで見ても群を抜いているため、世界の投資家や企業経営者にとっては本社移転の最大の魅力でしょう。

最後に、ビジネスフレンドリー。「企業に優しいテキサス」というのが、企業向けの殺し文句といわれるほどインパクトがあります。訴訟の多いカリフォルニア州に本拠地を置く企業には、このビジネスフレンドリーは「プロビジネス」ともいわれ、取材中によく聞いた企業側のメリットです。

私たちは、本書を書き上げるために、実に長い時間をかけて取材し、多くの方々の協力（巻末に協力者リストあり）を得ながら、本書が実現しました。

本書の共著者であるルークさんこと倉石とはもう7年来の付き合いになりますが、彼が今、ダラスだけでなく、テキサス州におけるキーパーソンの一人として活躍されているのも、すべてご縁だと感じるし、そのご縁を大切にして、着実に大きな輪に広げて、日本人同士の強力なネットワークを築き上げています。

そんな出会いによって、本書はできました。その一部を巻末に紹介しています。もしかしたら、あなたの関係者もいるかもしれません。

人の未来が変わるのは、出会いやご縁だと思います。

では、このあとの章から【ありえない時代】に向かう日本の、いやあなたの未来のためにも、アメリカの、そしてテキサスの変貌をご覧ください。

本書を読むことで、「え！　マジか？」と次に驚くのは、あなたかもしれません。

２０１８年12月

未来生活研究所　所長　中野博

なぜ、トヨタはテキサスに拠点を移したのか？●目次

第1章 なぜ、トヨタはテキサスを選んだのか？

第2章 トヨタが選んだテキサスの魅力

第3章 今なぜ、ダラス経済圏へ日本企業の進出が相次いでいるのか？

第4章 アメリカ経済の新しい中心となる可能性

第5章 若きリーダーはテキサスから世界を目指せ！

第6章 もし、高速鉄道がダラス起点で全米に開通したら

装丁／志岐デザイン事務所（萩原　睦）
本文組版／一企画

序 章

10年後、世界を牽引するアメリカ・テキサス

今、アメリカで起きている変化。
ヒト、モノ、カネが集中し始めたテキサス。
これは今世紀、最初で最後のビッグチャンスだ。

10年、20年後、アメリカが世界を牽引する

「20年後、世界を牽引していく国はどこか?」

こう質問されたら、あなたは、どの国をイメージしますか?　もちろん、本書を手に取り、このページを読んでくださっている方ならば、すでにおわかりですよね。そう、「アメリカ合衆国」です。

ご存知のように、アメリカは今後も人口が増え続け、2000年は2億8000万人だった人口が、2050年までには4億人にまで増えると見込まれています。

※データ出所：World Population Prospects（総務省統計局「世界の統計2018」

これから繁栄し続けていきそうなアメリカに対して、わが国・日本は、先進国の中でも人口の減少が特に著しい国です。現在、1億2600万人の人口が、2050年には1億人を切るともいわれているのが日本なのです。

同じようにヨーロッパでも、ドイツなど多くの国（フランスは除く）は出生率の低さから人口減少が進むとされます。

しかし、アメリカは20代、30代の人口比率が極めて高く、年間300万人ものペースで人口が増加し続けています。

「人口統計」という言葉をご存知だと思います。

経済学としては唯一、正しい未来予想ができるといわれている指標であり、人口の変化はもちろん、人の出生・死亡・余命なども考慮して人口の分析をします。

この「人口統計」から導き出された数字によって、先進国として大事な要素である若年労働力人口の増減もわかるのですが、アメリカの若年労働力人口は2015年は約6500万人となっていたのが、2020年には6800万人、2035年には7000万人に達するとされています。

実は、このように若年人口が大幅に増加していく国というのは、世界中であまり例がありません。経済発展が著しいとされる中国でさえも、あと数年で若年労働人口は大きく減少していき、増加することはないのです。

つまり、この若年労働力人口の増加は、これからのアメリカにおいて様々な産業であらゆる需要が増えることを意味します。こうした人口面からも長期的な成長が見込めるアメリカにおいて経済が活性化していくのは、まさに自然な流れだといえます。

最も安心できる投資先としてのアメリカ

もし、あなたが海外で不動産の投資を始めるならば、アメリカへの投資を自信を持ってお勧めします。

世の中には自己資金が少なくてもレバレッジ効果が期待できるからと、新興国への投資をする人がいます。しかし、これは基本的にお勧めできません。なぜなら、カントリーリスクを無視しているからです。

インドネシアやフィリピンなど、人口増が顕著な東南アジア地域には世界中から有名な企業が進出していますから、企業進出にしても個人の不動産投資においても高いレバレッジ効果を期待する気持ちもわかります。

しかし、重要なのは国として安定しているかどうかです。これらの新興国は、法整備・税規制・投資制限・自国通貨などの地盤がまだまだ盤石ではありません。

プロの投資家でさえ、いつ起こるかわからない現地通貨の暴落におびえ、常にリスクと戦っている現状があります。

これに対して、アメリカへの投資はどうでしょうか？　米ドルは、いわゆる基軸通貨と呼ばれています。これは、世界中の取引量が最大で、金融危機にも強いことを意味します。こうした背景を考えると、海外への投資を考える場合には、カントリーリスクの低い先進国から選ぶのが鉄則なのです。

トヨタが本社をテキサス、ダラス経済圏に移転！

さて、アメリカが未来のある国であり、様々な投資（企業への投資や不動産投資）でも他国とくらべて優位になることはおわかりいただけたかと思います。

しかし、アメリカは世界最大の国であり、州だけでも50もあります。これから私たちは、豊かな未来を築くために、一体どの州に目を向けるべきなのでしょうか。

まず、答えを先にお伝えしましょう。

それは、「テキサス州」だと断言します。

アメリカ合衆国の中部に位置するのがテキサス州であり、その中でも「ダラス経済圏」が今、最も注目されているのです。

トヨタ自動車北米本社が、ダラス経済圏のプレイノ市（ダラス市の北に位置する都市）へと移転したのを皮切りに、建機製造大手クボタが米販売子会社の本社をダラス経済圏に移転しました。同時に、電機大手パナソニックも、デジタル関連の拠点をダラス経済圏に開設しました。

他にも、続々と日系企業が進出し、まさに〝日本人バブル〟がダラス経済圏で巻き起こっているのです。

ダラス経済圏は、ダラス・フォートワース（以後、ＤＦＷ）都市圏とも呼ばれ、多様な産業やセクターの企業が集まっており、非常にバランスのとれた経済圏が作られています。

２００９年からの５年間だけで見ても、約８００社もの企業が、ＤＦＷへの移転や事業の拡張を推進しています。なぜ、ここまでダラス経済圏が今、注目されているのでしょうか？

その理由について本書でこれから詳しくご紹介していきますが、まずはポイントだけお伝えします。

簡単にいうと、これまでのアメリカは2軸で発展してきました。

「東海岸経済圏」（政治・国際機関の中枢域＝ニューヨーク、ワシントン）

「西海岸経済圏」（文化とイノベーション創造域＝ロサンゼルス、シリコンバレー）

この2軸です。そして、アメリカは次代を牽引する第三の経済圏を生み出そうとしています。それがテキサス州の諸都市を核とする南部経済圏なのです。

アメリカでは、21世紀を迎える直前にカリフォルニアの西海岸経済圏にて、ＩＴ産業が興ります。ＧＡＦＡ（グーグル、アップル、フェイスブック、アマゾン）が出てきて第四の産業革命などといわれる時代として21世紀がスタートしました。

そしてこれからは、これまでの変革がシフトチェンジしてさらに加速し、時代の新しい流れを作ろうとしています。その新しい時代は、既存の都市エリアとは別の新しい受け皿を必要としています。これが今後、アメリカの活力の源になっていくと考えられているのです。

例えば、西海岸経済圏も東海岸経済圏も、人件費や家賃及び不動産価格が高騰し続け、結果として物価も高騰してしまいました。これにより、これまでアメリカ経済を牽引してきた二つの経済圏に拠点を置いていた企業は、未来のために様々な選択をせざるを得なくなってきました。

１９８０年代の日本においても、同じことが起きています。

つまり、日本の人件費や家賃及び不動産価格が高騰し続け、結果として物価も高騰したため、人件費の安い中国やアジアの国々に工場などの生産拠点を移転していきました。この頃から、日本経済は空洞化したといわれたのです。

今では生産拠点だけではなく、販売拠点なども国外へシフトしています。さらに今後、日本は人口減少により市場が縮小するため、企業経営者も商店主も何らかの解決策が必要になっています。

日本の場合には、中国やアジアの国々への拠点シフトでしたが、同じことがアメリカでは国内で起きているのです。

■東海岸、西海岸の２軸にテキサスが加わる

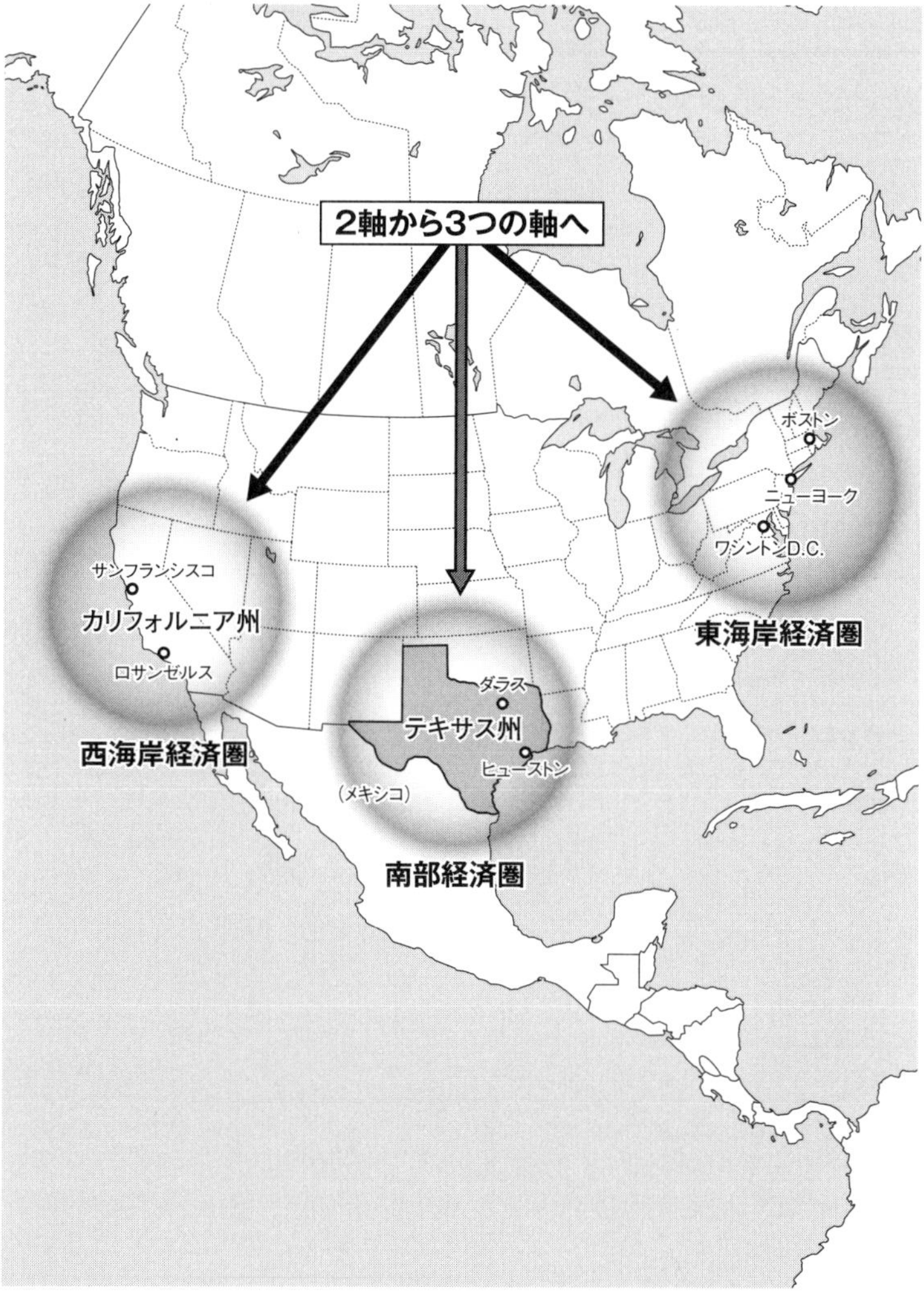

西海岸経済圏や東海岸経済圏に起きている数々の問題が引き金となり、拠点シフトが起こる。そのシフト先が「テキサス」なのです。つまり、次代のアメリカ発展の舞台がテキサス州となっているのです。

カウボーイの街から激変するテキサス州

ところで、あなたはテキサス州について、どんなイメージを持っていますか？カウボーイの西部劇的なイメージでしょうか？　それとも人々が巨大なステーキをほおばっている姿でしょうか？

どれもあながち間違っていません。西部劇をモチーフとした建物や飲食店、イベント施設もたくさんありますし、食べ物はアメリカの中でも特にビッグサイズです。はじめてテキサス州に来た人は、その食べ物の大きさに苦笑いしてしまう人さえいるぐらいです。

そういったイメージがどうしても先行するとは思いますが、実は、テキサス州は経済的に見ても非常に巨大な州なのです。

■マイク・ローサ氏と著者（中野）

テキサス州及びダラス経済圏の魅力について、ダラス商工会議所のエコノミック・ディベロップメントのシニアバイスプレジデント、マイク・ローサ氏を取材したことがきっかけで、多くの情報を得て、分析しました。以下、具体的なテキサスの魅力をお伝えしましょう。

テキサス州の経済規模は、カナダや韓国よりも大きな規模となっています。誰もが名前を知っているような日系企業も数々存在し、北部に位置するダラスと南部に位置するヒューストン間には、テキサス新幹線が２０２２年の開業を目指して計画が進められています（174ページ参照）。

新幹線が開通すれば、まさに「ヒト・モノ・カネ」が流入するエリアになり、今までにない、熱い活気と景気がテキサスに生まれることになります。

テキサス州の経済、とりわけダラス経済圏の強さを知るために、数字で説明しましょう（39ページ図参照）。

例えば、シカゴ経済圏の人口は全米第3位ですが、昨年度は1万3286人（1日36・4人）減少しています。一方で人口が全米第4位のダラス経済圏は、年間で人口が14万6238人（1日400・7人）増加しました。

2017年7月時点でのシカゴ経済圏人口は約953万人で、ダラス経済圏は約740万人なので、昨年度のペースで人口が増減すると仮定した場合、2030年11月には両都市圏の人口が同じ（約936万人）になる計算です。

このまま推移すると、2030年にはダラス経済圏の人口が約1000万人になるといわれているので、実際にはもっと早く、ダラス経済圏が全米第3位になると思われます。

ちなみにテキサス州全体では、1日に1095・2人（年間39万9734人）も人口が

■拠点として優位なテキサス州

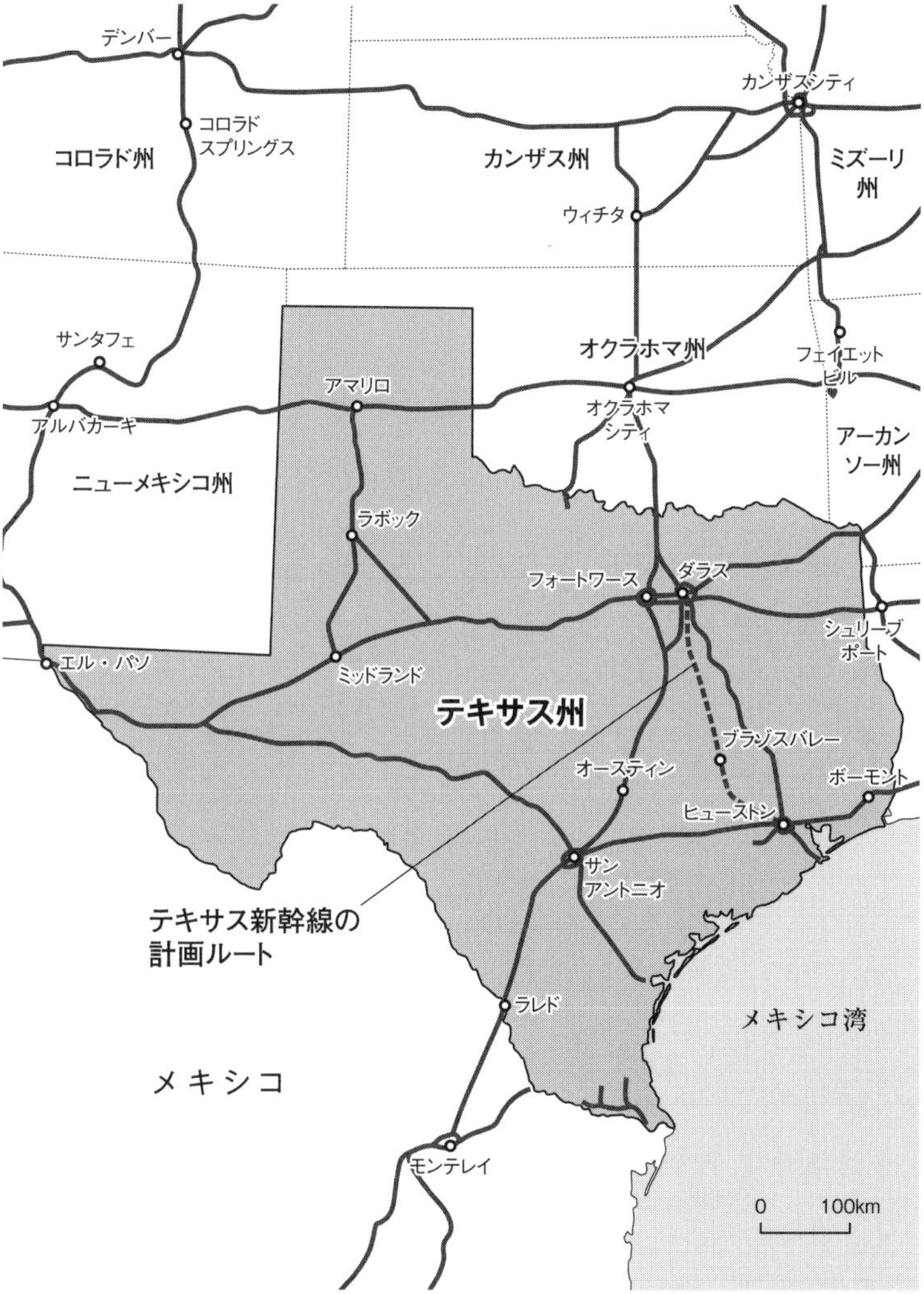

増えています（39ページ図参照）。

アメリカは、現在50の州があります。

各州は、それぞれが「国家」ともいえ、連邦国家であるアメリカ合衆国を構成します。

50州の中で人口トップ5は、

1位 カリフォルニア（３９５４万人）

2位 テキサス（２８３０万人）

3位 フロリダ（２０９８万人）

4位 ニューヨーク（１９８５万人）

5位 ペンシルベニア（１２８１万人）

です（２０１７年）。

そして、

50州の中で名目ＧＤＰ（総生産）トップ5は、

1位 カリフォルニア（2兆７５００億ドル）

■アメリカで人口の多い地域

ランキング		エリア	人口（人）	
2017	2016		2016年	2017年
1	1	ニューヨーク	20,275,179	20,320,876
2	2	ロサンゼルス	13,328,261	13,353,907
3	3	シカゴ	9,546,326	9,533,040
4	4	ダラス・フォートワース	7,253,424	7,399,662
5	5	ヒューストン	6,798,010	6,892,427
6	6	ワシントンD.C.	6,150,681	6,216,589
7	7	マイアミ	6,107,433	6,158,824
8	8	フィラデルフィア	6,077,152	6,096,120
9	9	アトランタ	5,795,723	5,884,736
10	10	ボストン	4,805,942	4,836,531

（アメリカ国勢調査局データより）

■テキサス州の人口増加数とその要因

（人）

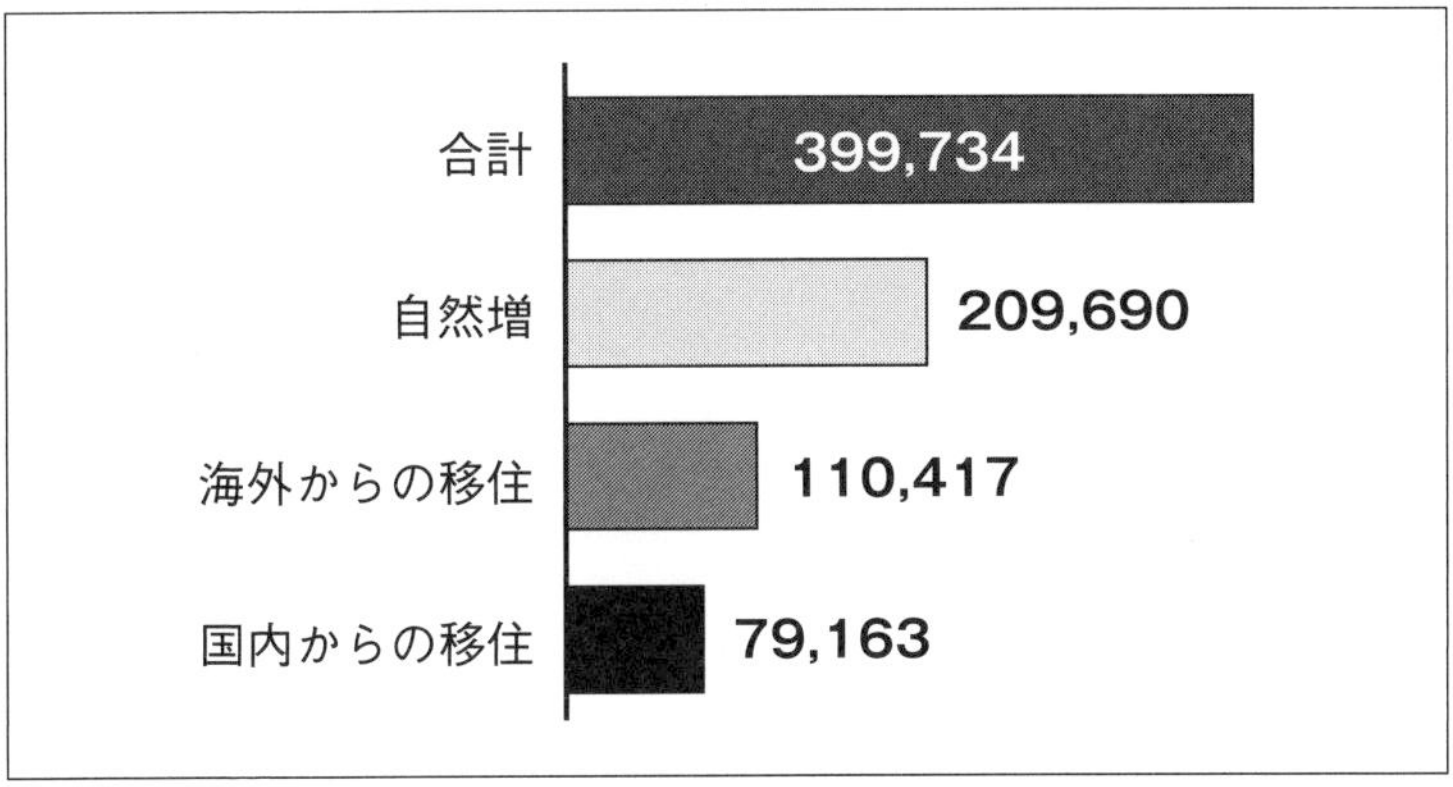

（アメリカ国勢調査局データより）

2位 テキサス（1兆7000億ドル）
3位 ニューヨーク（1兆5617億ドル）
4位 フロリダ（9766億ドル）
5位 イリノイ（8239億ドル）
となっています（2017年）。

人口及び経済力におけるアメリカ50州の東西横綱はこうです。

・東の横綱：カリフォルニア
・西の横綱：テキサス

もし、両州が独立国家であればGDPでは、世界10位に入るほどの経済規模を誇る州なのです（75ページ図参照）。特にテキサスは、過去10年のGDP成長率が2・9％増と著しい伸び率です。ちなみにカリフォルニアは1・6％増です。

経済予測のベースとなる人口増加に関しては、Uホール（引越し車両レンタル会社最大手）の最近のレポートによると圧倒的1位はテキサスで、カリフォルニアは最下位の50位。この差が未来を創ると思いませんか？

日本人には絶好のチャンス！

本書の共著者である倉石は30数年前にアメリカにやって来て、不動産を主体とするビジネスをしていました。

彼は、今ではテキサス州プレイノとカリフォルニア州ロサンゼルスに住居があり、それぞれの都市を行き来しながら、アメリカと日本の懸け橋となるようなビジネスを数多く手がけています。

今でこそ、アメリカに根を張り、テキサス州の情報センターというレベルまで人的ネットワークを築き上げた倉石ですが、かなりの苦労をされたそうです。もちろん、かつては日本を代表する大企業の一員として、バリバリ働いて実績を上げた時期もありました。

彼は、「時には追い風に乗り、時には向かい風で苦労したりと、経験値としてアメリカの良し悪しを身に刻んできた中で、一人の経営者として、一人の生活者として、現場で感じてきたナマのアメリカの空気感を本書の中でお伝えできればと思っています。この本をきっかけに、これからなにかをアメリカでチャレンジして行こうというファイティングスピリットにあふれる人たちのために、お役に立ちたいのです」といっています。

先ほど述べたように最近、テキサス州に日系企業が集中して地域が活況を呈していることは、私たち日本人にとってはアメリカでジャパン・スピリットを再構築していく数少ないチャンスだと思います。その空気感を、第1章以降でお伝えしていきます。

消えた「リトル・トーキョー」が教える日本人の影響力

かつて西海岸の都市には日本人街区、通称「リトル・トーキョー」と呼ばれていた日本人のコミュニティがありました。「ありました」と過去形なのは、そのリトル・トーキョーといわれていた街区は、今では中国系を中心にした街区になってしまったからです。リトル・トーキョーが彼らに侵食され、消滅して「リトル・チャイナ」や「チャイナ・タウン」になっていく過程で、徐々に日本人コミュニティも縮小していきました。

結果、アメリカ政府へのロビー活動も弱まり、その地域での日系関係の政治的な発言力も弱くなり、影響力はどんどん小さくなって、もはやなくなっているという悪循環に現在は至っています。

この影響力のなさが、結果として日本に住むあなたにも大きく影響して、ひいては、あなたの子孫にまでも及ぶのです。

そんな、まさか！　と思いますよね。

かつてのジャパンバッシングを覚えているでしょうか？

今でもそうですが、日米には常に貿易摩擦という不治の病があります。これに対処していくには、水面下での動きをサポートする現地の強力な日本人ネットワークが必要なのです。

日本は基本的に貿易国家なので、ある意味、貿易摩擦は宿命ともいえます。そのため日本のグローバル企業は、必然的に為替とアメリカの景気の動きに敏感にならざるを得ません。

現地にいるとわかるのですが、海外進出する際に必要なビジョンや長期的な戦略と戦術を持っていない企業や個人の方が非常に多いのです。これでは現地に根を張っていくこともできず、相互協力し合う発想も育ちにくい。これが、日系の社会がほかの民族とくらべて弱いところです。

ゆえに、一騎打ち的に個人戦感覚で取り組む人や企業が多くなり、思いつきの出稼ぎ感覚で進出することになって、結局、中途半端に終わってしまうケースを何度も見てきました。

民族によって違うアメリカ社会への浸透意識

日本人社会がほかの民族とくらべて弱いところ、それは団結力です。

アメリカに来ている他の民族の人たちは、母国の政府、企業、そして人の三位一体で現地に根を下ろそうとするのに対して、日本人は現地でのコミュニティの力とその影響力が他の民族とくらべて弱いので孤軍奮闘するしかない、そんな状況があります。

そしてこれも他の民族の人たちとくらべての話ですが、日本の経営者や幹部、従業員の方々には、アメリカの風土に溶け込み定着し、アメリカの発展に寄与していく、という意識が薄いように思います。

日米間には長い歴史と経済や文化の関係性がありながら、州政府を含めてアメリカの政治、経済、マスコミなどに対する信頼関係が希薄です。

これは海外に来ても日本人にある農耕民族的なＤＮＡから抜け出せず、心を鎖国状態にしてセーフティーガードをかけているからだと思います。

「今は一時的に駐在員として来ているだけで、任期を終えたら日本に帰るから」という帰巣願望が意識の根底にあるのでしょう。

日本政府もアメリカはじめ世界の各地で、プロパガンダ（広報・宣伝活動）やロビー活動に力を入れていませんし、日本の企業も現地社会に影響力がない。この結果、他国による日本人に対するネガティブなプロパガンダ、世論操作や工作などでくやしい思いをした現地日本人の方は多いのです。

現地の駐在員だけではなく、留学生も嫌な思いをしていることもあります。そのレベルは、イジメであったり、時にはビジネスにも支障が出ることがあります。

日本人にとってこのような〝防波堤がない〟状態がいつまでも続くことは、民族混合のグローバル国家アメリカで本気で生きて行かなければならない時代に、決して良いことではありません。

大手企業にとっても、我々のような中小・零細レベルの日系企業にとっても、またアメリカンドリームを夢見て日夜頑張っている人にとっても。

だからこそ、テキサス州におけるトヨタ・エフェクト（6ページ参照）には、日本の未来をより明るくする、という意味でも期待がかかるのです。

テキサスで日本人の団結力を再び取り戻す

私は、日本人が海外進出を容易に実行できるようにするためにも、日米間での真の信頼関係を作るためにも、日本人・日系人が団結してアメリカ社会に密着した強い根っこを作ることが、危急の課題だとアメリカに住んでみて感じるようになりました。

現代の日本人にとって、アメリカは以前にもまして日本と日本人に影響力がある国なのです。

例えば、この本の共著者の倉石は、アメリカで倫理法人会の役職を引き受けたり、アメリカで成功した某有名経営者の勉強会組織の長として活動しています。

それは、日米双方の発展に貢献できる「人の和と輪」を大きく強くしていきたいと考えているからです。現地で暮らす日本人の心のよりどころとなるよう、倉石のふるさと長野市の由緒あるお寺、善光寺さんをテキサス州に別院としてお呼びする準備を進めているのもそのためだそうです。

現在もアメリカで暮らす日本人は増えていますが、異国の地で結束してなにかにあたる、という集団のパワーを安心材料にして、より多くの日本人にアメリカ進出を果たしてもらい、次の時代を作ってほしいと心から願っています。どんなに優秀な経営者でも異国の地で一人で戦うのは無理があるのですから。

その点、トヨタ・エフェクトもあり、今、テキサスで広がり始めている日本人ネットワークは、テキサス人の親日的な気風も追い風となり、全米一のネットワークとしてこれから大きく発展していく可能性があります。

大多数の日本人にとってテキサスは新天地であり、巨大な新市場なのです。テキサス州内のどの街もこれから飛躍的に大きくなっていく潜在力があり、加えて一つの州に日系企業が集中してくるこんな機会は今世紀中、このテキサスだけでしょう。

テキサスには新しい時代のアメリカンドリームがあるのです！

これを多くの人に実感してほしい！

そしてそれぞれが追い求めるドリームを実現してほしい！

そんな期待を込めて、次の章から、アメリカの、そしてテキサスの今と未来を語っていくことにします。

第1章

なぜ、トヨタは
テキサスを選んだのか？

北米トヨタ本社移転で読み解ける、
グローバル企業が注目する
「テキサス・メリット」とは。

米国トヨタ本社移転の前に起きた異常な出来事

トヨタ自動車元副社長の稲葉良晛《いなばよしみ》氏が米国法人の社長を務めていた2010年、大規模なリコール問題で豊田章男社長とともに、米国議会での公聴会へ招致されました。当時、トヨタ自動車の急加速問題でアメリカ国民の間に急速に不信感が広まったとしてマスコミに多数取り上げられていました。

このリコール問題で、トヨタは138件の集団訴訟、事故の遺族など96件の民事訴訟の他に、カリフォルニア州オレンジ郡検事局からも起訴されたのです。1957年にカリフォルニアへ上陸したトヨタですが、公聴会でトヨタを叩いた多くは、その地元カリフォルニアの議員で、訴訟の大半もカリフォルニアでした。

地域の発展に寄与してきたトヨタに対して、いくら訴訟の国アメリカとはいえ、これは異常としか思えない出来事でした。

このトヨタバッシングから4年後の2014年。トヨタは北米販売拠点をカリフォルニア州トーランス（ロサンゼルス経済圏）から、テキサス州プレイノ（ダラス経済圏）に移転すると発表しました。

トーランス市長に電話で通知したのは発表の30分前だったそうです。移転計画は稲葉氏と豊田社長と米人トップのジム・レンツ氏の３名にて極秘裏に進められ、それぞれのやり取りには、電子メールなどセキュリティに不安があるものは一切使用しなかったほどの超シークレットでことを進めたのです。

テキサス州は10年ほど前から、強いアメリカ、正しい国造りに真正面から取り組んできた地域でした。

その一つの大きな結果が、米国トヨタ本社の移転となって表れました。そして２０１７年夏、米国トヨタはついに、50年本社を置いていたロサンゼルスから去り、同時に米国内に点在していた他の拠点も集約する形でテキサス州プレイノ市に移転しました。

全米を視野に「強いトヨタ」を目指して拠点を集約

なぜ、米国トヨタはダラス経済圏のプレイノ市に本社を移転したのでしょうか？　カリフォルニアでバッシングを受けたからでしょうか？

私は思います。カリフォルニアでのトヨタバッシングは、トヨタがもっと大きな利益を得るために行動するきっかけになったにすぎなかったのではないかと。

トヨタほどの大企業が行う今後の展開を冷静に考えると、移転の本当の理由、もっと重要な理由がバッシングとはまったく違うところにあることが見えてきます。

その理由には、トヨタにとって数多くのテーマが隠されており、トヨタがアメリカで市民権を得て、本格的にアメリカでシェアを上げるには、テキサス州しかありえなかったのです。

21世紀の全米を視野に入れた展開を実践に移すために、販売戦略、財務戦略、労務戦略、マネジメント戦略、マーケティング戦略、エリア戦略……そのすべての戦略をミックスし、相乗的に利益を上げるためにトヨタはダラス経済圏を選んだのです。

移転先にテキサス州を選んだ理由は、税金にしても環境規制にしても法人に優しいビジネス環境があること、が第一にあります。

また、ダラス経済圏にある二つの大きな空港（ダラス・フォートワース国際空港、ダラ

■ダラス市、フォートワース市、プレイノ市

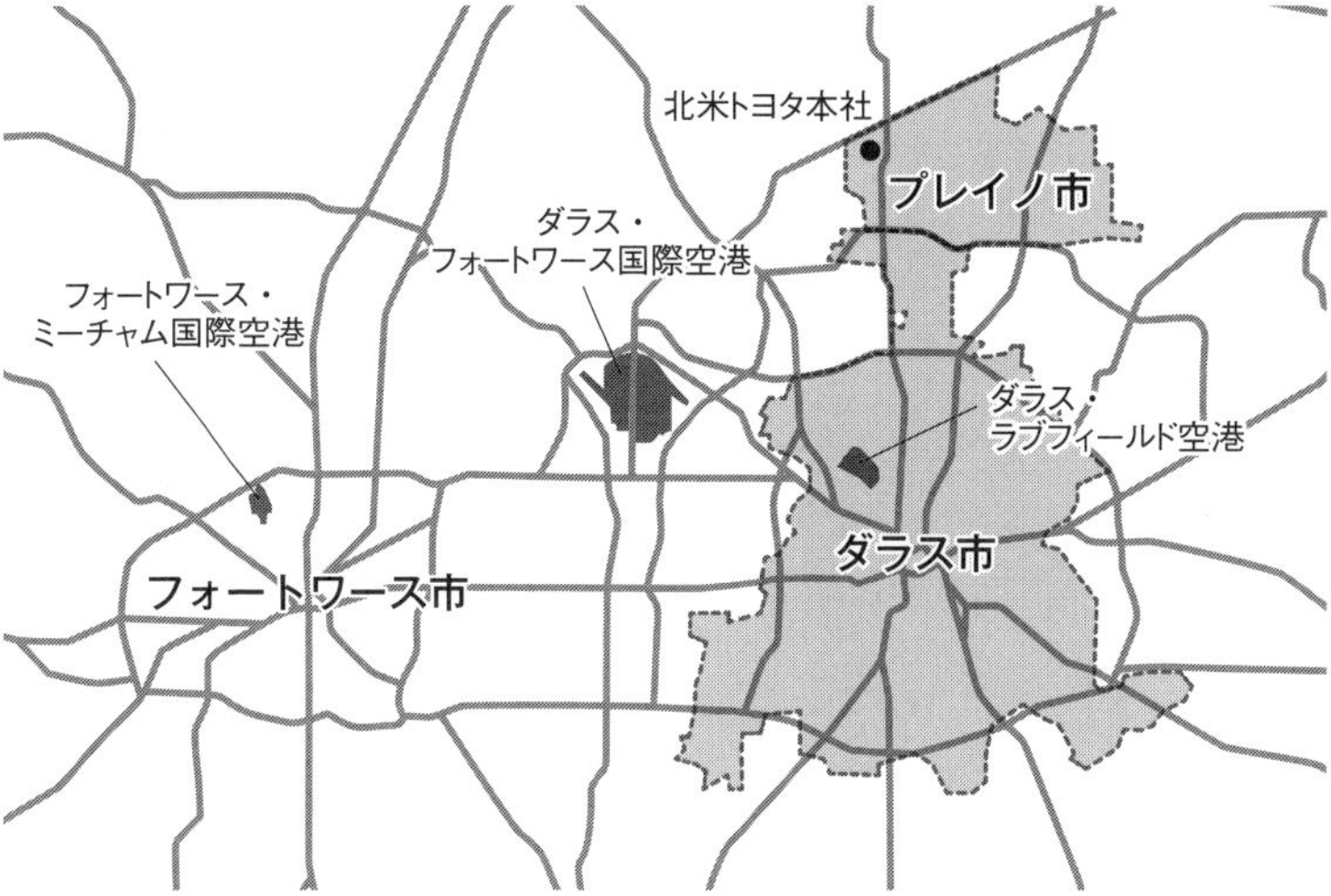

ス・ラブフィールド空港）の存在は人の効率的な活動を実現できること、従業員の生活面では地価の高いカリフォルニアにくらべて住宅価格が安く持ち家の取得が容易であること、将来の企業発展を担う人財獲得面ではテキサスが高い教育レベルの地域であること、などの利点があるからです。

そしてトヨタの企業文化を均一にするために、カリフォルニア州、ケンタッキー州、ニューヨーク州に分かれていた拠点を、アメリカのヘソにあたる位置に集約することができたということは、トヨタが全米展開を効率的に行うために好都合だったのです。

トヨタを呼び寄せた「テキサス・メリット」

トヨタがテキサス州のダラス経済圏のプレイノ市に本社機能と米国内に点在する拠点を集めて従業員4000人規模の一大集中拠点を設けた理由を読み解いていくことで、テキサス州がなぜ今注目されるようになったのかが、わかるようになります。ここではその「テキサス・メリット」について紹介していきましょう。

その1 〈地政学的な絶対優位性〉

――海を制するテキサス

地政学は、国家を地理的条件から見て軍事的・政治的・経済的発展を研究する学問ですが、国家について海洋国家（シーパワー）と大陸国家（ランドパワー）という見方をします。海洋国家は日本やイギリスなどで、アメリカも太平洋と大西洋に挟まれた海洋国家です。

一方、大陸国家はロシアや中国、そしてドイツなどが該当します。

この地政学の観点からアメリカ合衆国の50州をそれぞれ国家として見た場合、どの州が最強の州でしょうか？

その考え方のヒントは「軍事論」です。

アメリカ海軍のアルフレッド・セイヤー・マハンによって１８９０年に刊行された『海上権力史論』によると、「世界大国となるための絶対的な前提条件は海洋を掌握すること」です。ではアメリカ50州の中で、海洋を掌握できる州はどこか。

カリフォルニアなどの西海岸各州、

フロリダなどの東海岸各州、

そしてメキシコ湾沿いのテキサスなどと太平洋のハワイです。

特にテキサスはメキシコ湾に面して５９１キロメートルの長い海岸線を持ち、外国貿易高アメリカ最大のヒューストン港を含め11の巨大貨物船が入れる港があります。

——陸を制するテキサス

加えて陸運です。テキサスは、北アメリカ大陸の中央に位置していて、ここに拠点があると全米を網羅できます。

例えば、ダラス経済圏からトラックで24時間以内にアメリカ全土の37％、48時間以内に93％の地域まで到着できます。高規格道路の長さはアメリカ合衆国内最長で、鉄道も1911年以降、テキサスの鉄道総営業キロ数は全米一です。

——空を制するテキサス

海運、陸運共に最強拠点となり得るテキサス。もちろん空運も同様。テキサスには国内のどの州よりも多くの空港があります。

中でも最大のダラス・フォートワース国際空港は、その敷地面積がニューヨークのマンハッタン島より大きいのです。

この空港は航空業界世界最大手、アメリカン航空の拠点空港であり、ハブ空港としては世界第2位となります。また、旅客数では世界最大のサウスウエスト航空（本社ダラス）もダラス・ラブフィールド空港を拠点として運行しています。

テキサスで2番目に大きな空港は、ヒューストンのジョージ・ブッシュ・インターコンチネンタル空港で、コンチネンタル航空（本社ヒューストン）の最大中継拠点として、アメリカ中の空港から来るメキシコ行き航空路の大半が利用しています。

テキサスは、シーパワーとランドパワーに加えてエアパワーも加わって地政学的にアメリカ最強の州なのです。

――地の利に満ちたテキサス

トヨタが米国本社をダラス経済圏のプレイノ市へ移転した理由の一つとして挙げるのも、この「地の利」の魅力、つまり交通の便の良さです。

「北米の生産事業体がアメリカの複数州とメキシコ、カナダにわたっている中で、最も各拠点との時差が少なく、すべての拠点に直行便のあるロケーションを選んだ」。トヨタ自動車広報部はこう話します。

まさにその通りで、ここにテキサス・ダラスの大きな利点があります。

実は、アメリカでMBAを取得することにした私（倉石）も、地政学的観点から留学先をテキサス州ダラスに決めたという経緯があります。

テキサス州はアメリカ国内において、アラスカ州に次いで面積の大きい州です。日本の1・84倍もの面積を持ちます。人口は約2800万人です。産業では、バイオテクノロジー、IT、石油、化学産業などが盛んで、フォーチュン500（Fortune 500）の50社以上がテキサスに拠点を構えています。

場所が優れているだけでなく、こうした豊富な資源・エネルギーにも恵まれていることも、第二の「地の利」といえましょう。

その2〈法人にとって圧倒的優位な税制〉

――連邦法人税率21％

トヨタに限らず企業にとって関心が高いのは税制です。２０１７年12月、トランプ大統領が公約に揚げた税制改革法案を米上院本会議が可決したことは記憶に新しいでしょう。これにより35％だった連邦法人税率が、21％に引き下げられました。

この日はトランプ大統領と共和党にとって政策上の勝利となる約30年ぶりの大幅な税制改革の実現に向けて前進した記念すべき日となりました。

その後、下院との調整が続けられ、上下両院により税制法案が可決されました。これで、10年で１・５兆ドルという大型減税法案が施行されることとなったのです。

この大型減税は、以前のトランプ政権と同じ共和党のレーガン政権やブッシュ政権時の大型減税を、はるかに上回る過去最大規模の税制改革となりました。これだけでも法人に

■さまざまなテキサス州のメリット

地政学的な絶対優位性

◆海を制するテキサス

- テキサスはメキシコ湾に面していて591キロメートルの長い海岸線を持つ
- 外国貿易高アメリカ最大のヒューストン港を含め11の巨大貨物船が入れる港がある

◆陸を制するテキサス

- テキサスは、北アメリカ大陸の中央に位置している
- ダラス・フォートワース地域からトラックで24時間以内にアメリカ全土の37%、48時間以内に93%の地域まで到着できる
- テキサスの鉄道総営業キロ数は全米一

◆空を制するテキサス

- ダラス・フォートワース国際空港はアメリカン航空の拠点空港であり、ハブ空港としては世界第２位
- 旅客数で世界最大のサウスウエスト航空もダラス・ラブフィールド空港を拠点として運行している
- ヒューストンのジョージ・ブッシュ・インターコンチネンタル空港はコンチネンタル航空の最大中継拠点

◆アメリカ第２位の面積と豊富な資源

- テキサス州はアメリカ国内において、アラスカ州に次いで面積が大きい
- 豊富な資源・エネルギーに恵まれている

法人にとって圧倒的優位な税制

◆テキサスは州法人税ゼロ、州個人所得税ゼロ

- 州法人所得税がない、個人の場合でも州レベルの個人所得税がない

インフラが住人に優しい

◆地価や家賃が西海岸経済圏、東海岸経済圏に比べて安い

◆電気料金がカリフォルニアより安い

とっては大きなメリットになりますが、実は、テキサス州においては、さらに企業にとって魅力的な税優遇があるのです。

──テキサスは州法人税ゼロ、州個人所得税ゼロ

テキサスには「特異な税制」があります。

アメリカ国内では基本的に法人所得に対して、連邦税と州税が課せられます。しかしテキサスの場合は、なんと州法人所得税がないのです。

個人の場合でも、法人と同じく、連邦と州のそれぞれで個人所得税が課される州が大半を占めますが、テキサスの場合は、州レベルの個人所得税がまったくありません。連邦法人税率が21％に大幅に減税されたことも重なり、テキサス州を本拠地とする法人は、経営が圧倒的にやりやすくなります。

──「即時償却」で設備投資全額を控除

また、減税によってアメリカ企業の手元に残る利益が増えることにあわせ、5年間の時限措置で設備投資全額を課税所得から控除できる「即時償却」を認めることにより、企業の設備投資を促します。

例えば、アップルは米国内の人工知能（ＡＩ）などの事業に5年で３００億ドル投資し、雇用を2万人積み増ししました。先進製造業への投資基金も50億ドルに増額と表明。これは低税率国に２５００億ドルもため込んだ海外資金を原資とします。共和党のライアン下院議長は「賞与や賃上げ、アメリカ国内投資といった施策を公表した企業は１６０社を超える」と語りました。

――減税効果を享受する日系企業

日本企業も、主な企業の２０１８年3月決算発表を合計すると、トランプ減税によりカリフォルニア州トーランス市に米国本社を置くホンダが３４６１億円、テキサス州プレイノ市にトーランス市から米国本社を移したトヨタ自動車は２９１９億円など、しめて1兆７０００億円もの利益押上げ効果があるそうです。

これで設備投資が活発になれば産業機械の需要が増え、日本企業の業績を改善させる要因にもなります。あらたに海外進出をする日本企業にとっても、拠点をアメリカに移して節税をし、関連会社を設立して投資や取引を実行することはグローバル経済において極めて有効な手段だといえるでしょう。

他にも、細かいことを挙げれば、テキサス州のメリットはたくさんあります。米国は東西で約3時間の時差があるため、会議や出張が大きな負担だったというトヨタ関係者の声もありました。

また、テキサス州はトヨタに移転費用の補助として4000万ドル（約44億円）を約束していますが、トヨタの北米事業を統括するジム・レンツ氏は、補助金が移転の動機になったわけではないと強調しています。

同氏はテキサス州を選んだ理由として、税金の面も含めた法人に優しいビジネス環境、地理的な観点、二つの大きな空港の存在、加えて手頃な住宅価格や個人の所得税がかからないことなど生活面での利点を挙げています。

今後深まるトヨタとテキサスの関係

少し横道にそれましたが、「テキサス・メリット」を端的に表現すれば、

「地理的な優位性」

「圧倒的に優位な税制」

この二つです。

米国トヨタ本社がテキサスに移転した最大の理由もここにあります。そしてテキサスがトヨタにかける期待も大きいものがあります。地域の発展は、企業と現地（住民を含めて）との理解と、良好な信頼関係のもとで実現するからです。

米国トヨタ移転に関し、関係者からは以下のようなコメントが出ています。

ＴＭＮＡ（Toyota Motor North America：北米トヨタ）のＣＥＯ、ジム・レンツ（Jim Lentz）：

「ここプレイノ市の北米新本社設立は、トヨタの60年にわたる米国事業における大変重要な一歩である。四つの米国事業体の従業員が一つの拠点でともに働くことで、お客様を第一に考え将来のモビリティを牽引しつつ、これまで以上に連携やイノベーションを生み出し、意思決定を加速できると信じている」

テキサス州のグレッグ・アボット（Greg Abbott）知事：

「優れた労働力こそテキサス州が誇る最大の資産であり、トヨタのようなグローバル企業を日々惹きつけている。この素晴らしい新本社屋や、４０００名もの社員が新たにテキサス州で働くという事実が、同州の経済が目覚しい勢いで成長を続けていることを示している。トヨタのテキサス州への移転を誇りに思うと同時に、地域社会で重要な役割を担おうとしてくれていることに感謝したい」

プレイノ市のハリー・ラロジリエール（Harry LaRosiliere）市長：

「ついにトヨタ従業員の皆さんをプレイノ市に迎え、この素晴らしい新社屋の開所をお祝いすることができ、大変うれしく思っている。地域に寄り添う良き企業市民であるトヨタが、今後もプレイノやテキサス州北部に良い影響を与えてくれると期待している」

※出所：TOYOTA Global Newsroom　https://newsroom.toyota.co.jp/jp/detail/17657812

確信あり！　テキサスが時代の流れを作る！

テキサスは過去30年間人口が増え続けていますし（これからも確実視されます）、高速道路や鉄道などのインフラ投資も活発です。

数々の有名企業の進出も見込まれますので、雇用も生まれます。現在はまだテキサスの大改革が始まったばかりなので、土地も安いということもあり、未来への投資にこれ以上ない条件が整っている地域です。

私は不動産業を営んでいる関係上、アメリカの不動産投資に興味を持つ日本人の方にはテキサスの不動産をお勧めしています。数年前ですとテキサスというと、ただの田舎町というイメージがあったようで、なかなか投資をされる方はいませんでした。

しかし、２０１４年にトヨタが北米の販売拠点をロサンゼルス都市圏からダラス都市圏への移転を発表すると同時に、目ざとい投資家は反応し始めました。私とビジネス関係にある多くの人たちも、次第に興味を持ち始めています。

ただ、日本人は慎重派が多いので、異国の地で投資をすることに抵抗があるという意見も多く聞きます。ですが、これだけはハッキリとお伝えしたいと思います。近い将来、テキサス（特にダラス経済圏）はアメリカの中心となり、さらなる発展を遂げます。そのすべての条件がこの地には整っているのです。

共和党のテキサス、民主党のカリフォルニア

アメリカの二大政党は民主党と共和党です。民主党は「大きな政府」を目指し、共和党は「小さな政府」を目指す傾向があります。

一般的に、民主党の支持率が高いところは移民や低所得者層が多いとされ、保守系の共和党は白人の富裕層からの支持が多い傾向があります。大統領選挙において民主党を支持する傾向がある州を青い州（Blue State）、共和党を支持する傾向がある州を赤い州（Red State）と呼びます。

カリフォルニア州は80年代の選挙はロナルド・レーガンがカリフォルニア州知事だった関係から共和党が勢力を持っていましたが、ビル・クリントン以降は民主党。テキサス州は共和党がおさえています。

アメリカ合衆国大統領選挙は、民主主義と資本主義という大きな枠の中でのイデオロギーの戦いです。政府の役割をめぐって、民主党は「大きな政府」を目指し、共和党は「小さな政府」を目指します。

大きな政府は経済や社会政策を強力に推し進めて、自由実現へ市場に積極的に介入します。その結果、財政規模が非常に大きくなるので、大きな政府と呼ばれます。具体的には、税金を高くして福祉を強化します。所得が低い人にはメリットが大きく、困った時には政府が色々と保護してくれます。一方で、財政赤字はふくらみ、経済が非効率化します。

小さな政府は経済や社会政策に極力関与せず、民間の自由競争や市場重視で経済を発展させます。

財政規模を縮小させようとするので、小さな政府と呼ばれます。具体的には税金を安くして福祉にあまり力を入れません。所得が多い人にはメリットが大きく、アメリカンドリームのチャンスも増えます。トランプ大統領は歴史上最大規模の減税を実行しましたが、国防費やインフラ投資を大幅に増やすといった両党の良いところを取り入れた政策をとっています。

テキサス州は「小さな政府」の手本

テキサス州は共和党が目指す「小さな政府」の手本として、州所得税やキャピタルゲイン税がなく規制が少ないため、旺盛な起業家精神が多数存在します。

だからこそ、アメリカでも一番ビジネスをしやすい州として急成長しているのです。

テキサス州議会はパートタイム議会（part-time Legislature）と呼ばれ、2年に1回、2年分の予算を審議するために集まるだけです。（臨時議会が召集されることはあります）。

テキサス州議会議員の年俸は7200ドル（全米39位）。

一方、カリフォルニア州は、かつて中産階級にアメリカンドリームを与える魅力的な州でした。民主党が強くなり「大きな政府」となった今は、高い税率や規制を州民や企業に課しているので、アメリカでも一番ビジネスをしにくい州となってしまいました（カリフォルニア州議会議員の年俸は全米一の10万4118ドル）。

第2章

トヨタが選んだ
テキサスの魅力

地政学的に優位性の高い「地の利」。
世界トップ10に入る巨大なＧＤＰ。
ビジネスフレンドリー（企業に優しい）。
そして、人材豊かなテキサス。

トヨタが選んだ新興都市「プレイノ」

米国トヨタが移転したプレイノという街を見てみましょう。

場所としては、ダラスの北に位置します。人口28万人ほどの新興住宅地であり、テキサス州では9番目に多い人口です。白人が多く、市内の公立高校は学校評価10段階中「8〜9」というハイレベルな学生たちが集結しています。

ダウンタウンまで車で約20分、空港までも30分あれば行けるという立地も素晴らしいです。トヨタが移転した「レガシー・ウエスト」（プレイノ市の北西部）といわれる地域は開発がものすごい勢いで進んでおり、巨大モールなどの商業施設も充実してきています。


プレイノ市のハリー・ラロジリエール市長と２０１８年9月に面談する機会があり、お話を聞いたところ、次のように教えていただきました。

「プレイノ市は昨年（２０１７年）、全米で一番安全な都市（73ページ図参照）に選ばれたほど、安全な街であり、さらには、全米で4番目に優秀な学校区があるなどＱＯＬ(Quality

■ハリー・ラロジリエール市長（中央）と著者（倉石〈右〉、中野〈左〉）

of Life）の高さ、つまり生活の質の豊かさを感じられることも良いところです。

この理由としては、例えば、パーク・システムがあります。どの家からも歩いて15分以内に行けるところに公園があります。

さらには、ビジネス・フレンドリーとしても評価されています。ビジネスとはマネーではなく、人間力にあります。プレイノ市には人間力のある、心優しい人が多いのも素敵な点です。あなた方のような素晴らしい日本人も多く、日本の企業はトヨタを含めて46社あります」

プレイノの市長は、とてもフレンドリーな方で、日本や日本人が大好きだと断言され、どんどん日本の人たちや日本企業がプレイノ市に来てほしいといってくれたことが印象的でした。

もう少しプレイノ市について紹介しましょう。

土地も家賃も物価も税金も、なにもかもが高すぎるカリフォルニア州とくらべると、テキサス州は土地も広く、物価も安く、企業や社員の「生活の質」向上もトヨタの移転先がテキサス州になった理由の一つです。

プレイノ市は、トヨタ本社があったロサンゼルス郊外のトーランス市とくらべ、生活費は約31％安く、税率も低い。テキサス州の平均世帯年収は5万ドルですが、プレイノ市では8万ドルほどであり、全体的に住民が裕福な暮らしをしているエリアなのです。まさに、ＱＯＬの実現ともいえます。

気候は東京と似ており、年間を通してほどよい降水量があり、東京よりも夏の気温は上がりますが、湿度が低いのでジメジメ感はありません。

全米で最も安全な都市に選ばれたプレイノ

市長の話にもあったように、２０１７年、米国で最も安全な都市ランキングにてトヨタ

■米国内の最も安全な都市ランキング（2017年）

順位	都市名	州	総合指標
1	プレイノ	TX（テキサス州）	63.17
2	アーバイン	CA（カリフォルニア州）	62.41
3	ニューヨーク	NY（ニューヨーク州）	57.85
4	チュラビスタ	CA（カリフォルニア州）	57.07
5	サンノゼ	CA（カリフォルニア州）	54.96
6	オースティン	TX（テキサス州）	54.31
7	オーロラ	CO（コロラド州）	53.34
8	オマハ	NE（ネブラスカ州）	53.11
9	ギルバート	AZ（アリゾナ州）	52.98
10	サンフランシスコ	CA（カリフォルニア州）	52.90

（Reward Expertの調査より作成）

の北米本社移転先であるテキサス州プレイノが1位に選ばれました。

旅行情報サイトのRewardExpert調査レポートによるものですが、同レポートは、ＦＢＩの犯罪統計データを元に、各都市の安全性を審査して順位を決めています。

審査基準は犯罪率、死亡率、拳銃などの武器保有率、交通事故発生率、人工的環境破壊、自然災害、経済や金融に関するリスク、健康危険性などの8項目からなります。

レポートには、「国内の最も安全な都市（人口25万人以上）はプレイノ市で、同市には多くの全米規模で展開する企業本部のビジネスハブがある。プレイノは自然災害による若年死亡率や損失の割合が非常に低く、居住者は高い生活資金保障とヘルスケアを享受できる。当地での所得格差は低い」とあり、その安全性は近年特に高いとされます。

そしてテキサス州には、同調査ベスト10ランクインの常連であるオースティン市もあり、高い評価を受けています。

テキサスを一国とみなすと「GDP世界10位」

テキサス州ダラスは西部劇のカウボーイから始まり、カントリーミュージックや歴史的な建造物が数多くあります。ダラスと聞くと、「ダラスの熱い日」という映画を思い出す方もいるかもしれません。第35代アメリカ大統領、ジョン・F・ケネディが暗殺されたのもこのダラスです。

この地は、ダラス・フォートワース都市圏（DFW：ダラスと周辺都市を含むテキサス北部の広域都市圏）として全米4位、テキサス州最大の740万人（2015年推定）の人口を擁します。IT関連企業も多数集結しており、ハイテク産業の地としても有名です

■世界の国々のGDP（2017年）

順位	国名	GDP
1	アメリカ	193,906億ドル
2	中国	120,146億ドル
3	日本	48,721億ドル
4	ドイツ	36,845億ドル
5	イギリス	26,245億ドル
6	インド	26,110億ドル
7	フランス	25,836億ドル
8	ブラジル	20,550億ドル
9	イタリア	19,379億ドル
10	カナダ	16,524億ドル

カリフォルニア 27,468億ドル

テキサスは
世界でも10位に入る

テキサス 16,962億ドル

（トヨタの北米本社が移転したのは、ダラスの北に位置する都市プレイノ）。

仮にテキサス州を一国とみなした場合、世界における名目ＧＤＰランキングは驚くことに、カナダ、韓国、ロシア、オーストラリアを抜いて全世界で10番目という位置づけになります（上図参照）。

アメリカの一つの州のＧＤＰが世界10位に入るのです。全米広しといえども、このような州はカリフォルニアとテキサスしかありません。

一つの州でありながら、なぜ、世界10番目のＧＤＰを誇っているのでしょうか。この巨大なＧＤＰの底支えをしている大きな要因の一つは、メキシコ湾岸のシェールガス・シェールオイルをはじめとする活発な資源開発です。

豊富な資源は産業の源であり、ヒト・モノ・カネを生み出す源泉です。テキサス州はこうした資源開発から長期的な経済的メリットを得ているのです。

ビジネスフレンドリー――企業に優しいテキサス

テキサス州は、企業に対しても理想的で優しい環境が整っています。テキサスには「Right-to-work法」という法律があります。これは、労働者に労働組合への加入を強制しないようにするもので、アメリカの企業にとっては非常に助かるものです。

日本人の感覚ではイメージしにくいかもしれませんが、アメリカという国には、人種や人権などを理由にして企業に強気な態度をとる労働組合が存在します。この法律はそういった主張を激減させ、経営を円滑に進められるのです。

また、皆さんご存知だと思いますがアメリカは訴訟大国です。

「コーヒーをこぼしただけで、裁判で3億円もの賠償金判決が下された」と日本でも報道されたことがあります。テキサスは企業活動をするにあたって、こうした訴訟面で他州よりも安心できる要因があります。

それは、テキサスは裁判所判事の多くが、合衆国憲法を公明正大にきちんと遵守しているということです。判事が、感情や人情に影響されて法を解釈しません。

例えば、一般人からなる陪審員たちが原告に同情して、被告企業に対して多額の賠償金を支払うような判決が下されたとします。テキサスでは、そのような判決が2審、3審で覆される確率が非常に高いのです。

一方、カリフォルニアは合衆国憲法の解釈は時代ごとの社会情勢に応じて進化するべきだと考えているリベラルな判事が圧倒的に多いので、被告の企業にとって厳しい判決が下される確率が高いのです。

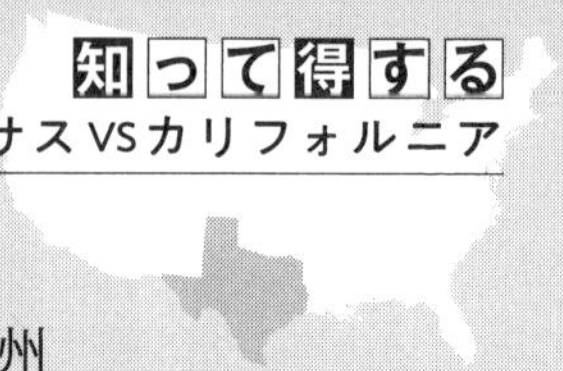

州によってこんなに違う労使関係の規定

企業に優しいテキサス州の対極にあるのがカリフォルニア州です。カリフォルニア州では、従業員に対する雇用保護基準を高く設定しており、従業員にとっては非常に優しい州なのです。例えばこんなふうに。

・カリフォルニア州では消化できなかった有給休暇は次年度へ繰り越すことが義務付けられており、企業は従業員の退職時にその未消化分を給与として支払わなければならない。

・30時間労働につき1時間の有給病気休暇を従業員に与えなければならない。

一方、テキサス州では特に規定がされておらず、会社別の雇用規定により遵守されています。有給休暇を取らなかったのは従業員の責任というスタンスで、企業が退職時に未消化分を払うことは義務付けられていません。裁量権が企業側にあるところが、企業にとっては動きやすいというメリットがテキサス州にはあるのです。

多数のノーベル賞受賞者を輩出しているテキサス

テキサス州は「教育」にも強い地域として有名です。

同州には、テキサス大学、テキサスA&M大学、ヒューストン大学、ライス大学、テキサス工科大学など、全米でもトップクラスとされる大学が多数点在します。これには理由があります。

歴代のアメリカ大統領でも有名なジョージ・W・ブッシュは、1995〜2000年の間、テキサス州の知事を務めていました。

その際、テキサス州の教育資金拠出を増加させ、同州の教育水準を高めようとしたのです。この名残が今でも残っており、テキサス州は全米トップクラスの教育水準を保つとともに、全米から優秀な学生たちが集まる州として有名になったわけです。

2018年10月、ノーベル医学生理学賞に選ばれた米テキサス大学教授のジェームズ・アリソン氏（70）は、約30年前からガン免疫療法の実現に向けて研究してきました。

※ジェームズ・アリソン氏（70）の受賞は、京都大学の本庶佑・特別教授（76）との共同受賞

他にも、テキサスA&M大学、ダラスのテキサス大学南西医療センター、ライス大学、南メソジスト大学、ヒューストン大学など、テキサスにはノーベル賞受賞者を出している大学がたくさんあります。百年以上前から教育に力を入れているテキサスの成果なのです。

住宅価格はカリフォルニアの半分

私はテキサス州プレイノとカリフォルニア州ロサンゼルスに住居があるため、テキサスとカリフォルニアの違いがはっきりとわかります。

カリフォルニアの住宅販売価格の中央値は49万9900ドルです。一方、テキサスは26万9900ドルなので、カリフォルニアの半分程度の金額で住宅が購入できます。この価格はあくまでも各州の中央値です。

例えば、カリフォルニアでもシリコンバレーあたりの中央値は127万ドルもします。ちなみに全米の中央値は24万7800ドルなので、テキサスはほぼ全米の中央値並みだといえます。

過去30年間人口が増え続けており、アメリカの都市圏中、第4位（ダラス）と第5位（ヒューストン）の人口を有するテキサスですが、カリフォルニアなど他の州とくらべてもテキサスの不動産価格はまだまだ圧倒的に安いのです。

不動産動向でわかるテキサスの〝学区〟メリット

さらに、不動産価格の推移を追ってみましょう。

2000年からのカリフォルニア州ロサンゼルス及びサンフランシスコと、テキサス州ダラスの不動産価格を見ると、2008年のリーマンショック時に全米で不動産価格が暴落した中、ダラスの不動産価格はあまり影響を受けていません。

2007年1月を100とすると、リーマンショックで不動産価格が大幅に減少しましたが、テキサスでは2015年7月にはリーマンショック前の水準（100）に戻り、それ以降の不動産市場の流動性は増加し続けていることがわかります（83ページ図参照）。この落ち込みの少なさは、他の州にはない特徴です。

私は株価が企業の力や将来性を見るバロメーターであるとすると、不動産はその価格や取引数などの動きがその街の未来を表していると思っています。

というのは、不動産に投資する場合は数年単位の長いスパンで収益を見ていく必要があるからです。例えば、買った不動産を賃貸に回して毎月の収入があったとしても、売りたい時に売れる流動性がないと大変困ります。しかも値上がり益（キャピタルゲイン）が期待できないと投資意欲はしぼんでしまいます。

ダラスの不動産価格が底堅い（値崩れしにくい）理由の一つとして、私は「学区」があると思います。

ダラス都市圏内でも、プレイノ、フリスコ、アレン、マッキンニーといった地域は学区が良い（学校のレベルが高い）地域で、中古住宅が売りに出るとすぐに買い手がつくのです。学区の良い地域はもともと根強い人気があるのは日本でも同じですね。

こうした地域の特性が優秀な人材を育む気風を育て、教育に強いテキサスの土壌を支えています。不動産動向を見るとその地域の特性がわかる一例です。

■アメリカの中古戸建・住宅価格の推移(2000年1月を100とした指標)

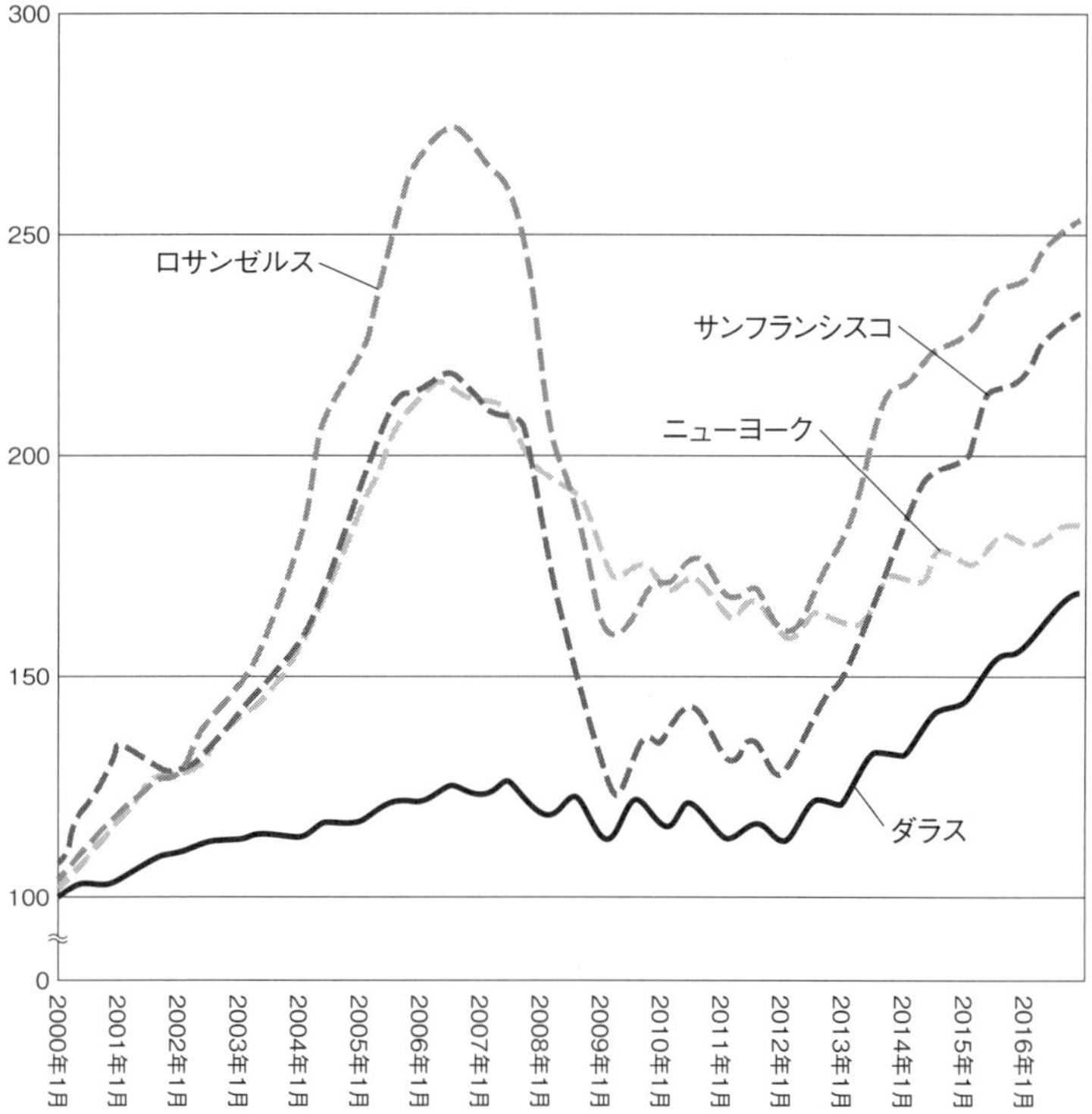

(S&P Dow Jones Indices LLC より)

一戸建て住宅価格の再販価格動向を示す「住宅価格指数」の伸びは、個人消費や賃金の伸びにつながるといわれ、景気の動向を表す指標の一つ。

2008年のリーマンショックにより全米で不動産の価格が大幅に下落したとき、テキサス州の不動産はそれほど価格が下落しなかった。その後、全米各地で不動産価格は回復基調へ転換し、おおむね値上がりしている。

テキサス州の中でも注目を浴びているダラスと周辺の町は、2011年から順調に上昇して、2016年時点で2007年と比べて約1.5倍になっている。

日本に居ながら税金対策にも使えるテキサス不動産

アメリカの住宅は木造建築が多いです。木造の物件は、日本では25～30年経つと解体され建て替えられるのが一般的ですが、アメリカの場合は築年数が30～75年の物件が非常に多いのです。

日本と違ってメンテナンスをしながらいずれは売却して別の家に住む、別の環境の良い街に住む、というように住み替えていくライフスタイルだからです。そして古くても学校区の良いエリアの物件は人気があり値段が上がり続けます。

不動産の場合、建物は償却資産と呼ばれます。

会計上、償却資産は時間が経つと劣化して価値が下がるとみなされ、日本では木造物件の法定耐用年数は22年とされています。

現時点では、日本人・日本法人であればアメリカの不動産であっても日本で確定申告（決算）をする際に、減価償却については日本の会計ルールが適用されます。すなわち、築22年以上の物件であれば、法定耐用年数の20％に相当する年数（1年未満は切り捨て）である４年で建物部分の全額を減価償却費として計上できるのです。

テキサスの中古住宅の建物比率は約８割なので、築22年以上の物件を30万ドルで購入した場合、24万ドルが建物部分になり、４年間、毎年６万ドル（24万ドル÷４）の費用を計上し、所得（利益）を圧縮して税金を減らすことができるのです。

第3章

今なぜ、ダラス経済圏へ日本企業の進出が相次いでいるのか?

トランプ大統領が壊し、
そして創造するアメリカの姿を探ることで
見えてくるアメリカの未来。
ダラス経済圏に企業が進出していくのには理由がある。

とてつもないリーダー、トランプ大統領の登場

私の30数年というアメリカ生活の中で、２０１７年という年はアメリカがターニングポイントを迎えた年だったのではないかと思っています。

２００８年のリーマンショックからようやく立ち直り、さあこれからだ、というときにとてつもないリーダーが出てきたからです。そう、トランプ大統領です。

私が米国に留学したのはロサンゼルスオリンピックの年、１９８４年です。当時の大統領はレーガン。日本のトップは中曽根首相という時代でした。

日本の対米貿易黒字は５００億ドルを突破していた時期で、自動車の輸出問題などで日米は貿易摩擦の真っ最中。米国が通商法３０１条を発動して日本製電子工業品に１００%の関税をかけるなどの制裁的な措置が行われていました。今の米中貿易戦争を見ているとあのころの日本のパワーがどれほどすごかったのかわかります（日本は今でも中国に次いで2番目に多い貿易黒字であるというのは事実ですが）。

それから時代は流れ、ブッシュ（父）、クリントン、ブッシュ（子）、オバマ。そしてトランプ大統領とアメリカの指導者は変わりました。その間、

１９８７年＝ブラックマンデー（米ＮＹ市場で株価大暴落）

２００１年＝米国同時多発テロ

２００３年＝イラク戦争

２００８年＝リーマンショック

が起こり、米国の困難は世界の困難として景気や物価などに影響を与えました。

そして忘れもしない２０１６年11月８日。この日は全世界が注目する米大統領選挙。共和党のドナルド・トランプ氏が民主党のヒラリー・クリントン氏を破り、当選を確実にした日です。そして大統領に就任した２０１７年１月。世界はトランプ大統領の言動や彼が打ち出す政策に、これまでにない政治家が出てきた！　という印象を持ったことでしょう。

２０１７年１月の就任直後に行ったイスラム圏７か国からの入国を制限する大統領令を手はじめとして、米国から出て行こうとする企業に〝関税〟をかけると脅して米国内に踏みとどまらせたり、トランプ大統領の行動はあらゆる方面にインパクトを与えたのはご存知のとおりです。

支持率安定？　内向きのアメリカが続くのか

「再び偉大な米国に」というスローガンを掲げ、白人の労働者階級を中心に支持を集めたトランプ大統領。その政策の根幹はいわずと知れた「アメリカ・ファースト」。自国の利益を最優先に考える姿勢を一貫して示し、任期の後半に入った今でもそれは変わりません。

そのトランプ大統領が何をやってきたのかを振り返ってみると、選挙公約を着実に実現してきたにすぎません。ただその実行の仕方が激しいのです。それは見方によっては〝破壊〟のようでもあり、そしてこれが良い意味での〝創造〟につながることに期待をする人々が多いのも事実です。

トランプ大統領の人気はその支持率の動向が物語っています。トランプ大統領の支持率は、一時は下降線だったのが就任2年目に入る２０１８年から再び40％台へと回復してきています（93ページ図参照）。

破壊の後に生まれる創造。これが今後のアメリカを見ていく上で大事な要素となります。「内向き」の中で再構築していくアメリカは、今後どのような姿になっていくのでしょうか。

国内産業を守る政策を次々実施

トランプ大統領がとなえた注目どころの公約は以下です。

「実質経済成長率4％」
「10年間に2500万人の雇用を生む」
「規制による負担の軽減」
「NAFTA（北米自由貿易協定）再交渉」
「不法移民の入国規制」
「メキシコとの間に国境の壁を建設」

これらの中から、主に経済面に影響があるものを中心にとりあげて、そこからアメリカの将来を想像してみたいと思います。

さて、トランプ大統領が就任初日早々に実行したことは以下でした。

〈通商・為替関係〉

・環太平洋経済連携協定（ＴＴＰ）離脱を表明
・北米自由貿易協定（ＮＡＦＴＡ）の再交渉または離脱を表明
・中国を「為替操作国」に指定するよう指示
・米国労働者を不当に扱う貿易慣行の即時撤廃

〈エネルギー関係〉

・シェールガスや石炭などエネルギー生産に関する規制を緩和
・オバマ政権で中断したエネルギーインフラ政策を再開

トランプ大統領が目指す「強いアメリカの復活」。その具体的な方法は「製造業の復活」です。そしてこの実現には「ヒト＝雇用」と「カネ＝投資」を集めていかねばなりません。ですから、就任１年目にしてまず早々に国際ルールからの離脱を実施しました。

■トランプ大統領の支持率の推移（週単位）

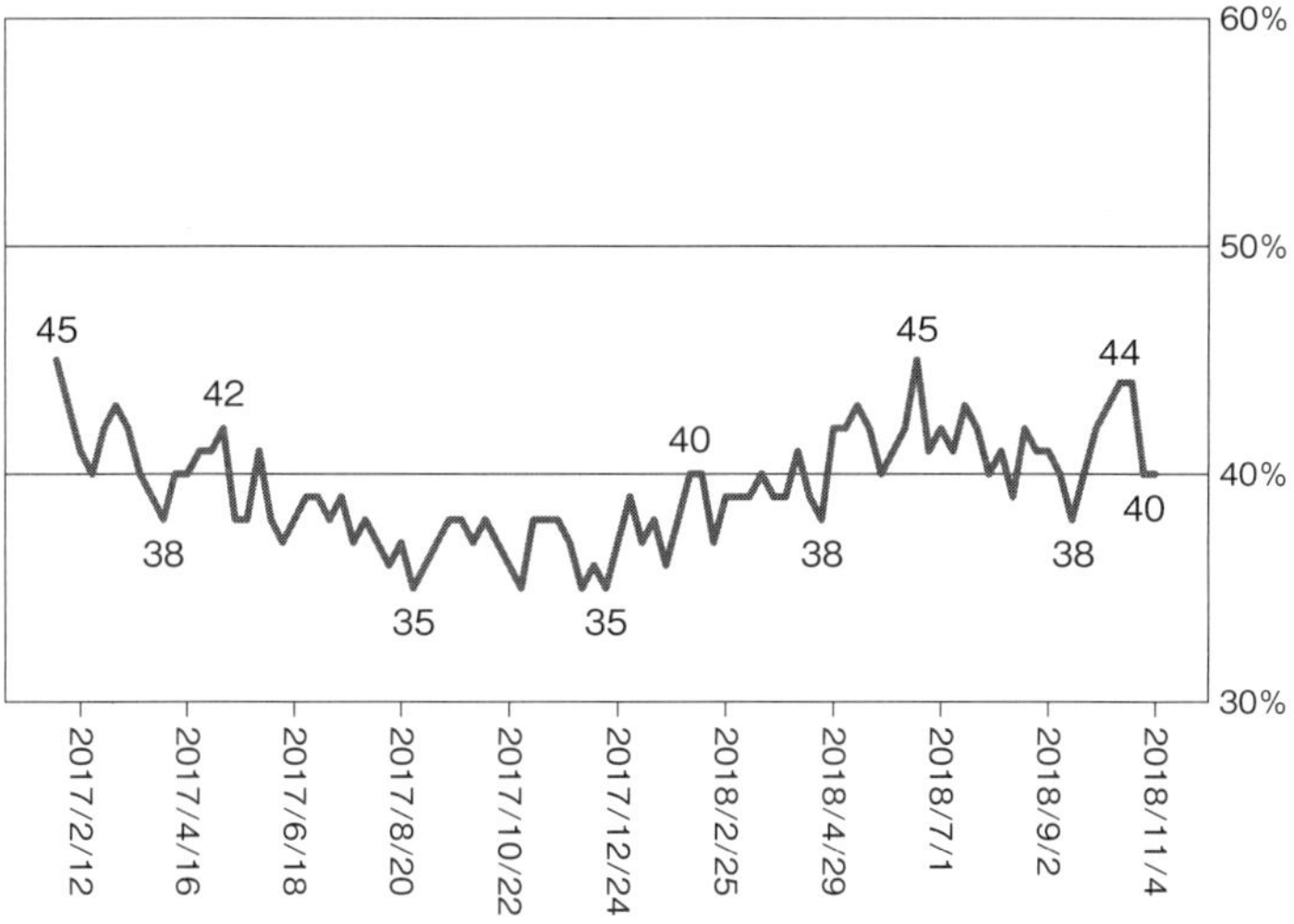

（GALLAP 公式HPより）

時期は違いますが、環太平洋経済連携協定（TTP）や北米自由貿易協定（NAFTA）に加えて地球温暖化対策の新ルールである「パリ協定」の離脱も宣言しました。

この「パリ協定」離脱宣言で国際協調路線にあった米国の環境対策は、とりあえず一歩二歩後退させて経済重視へ。石炭などエネルギー産業の成長を後押しする環境を作ったわけです。

そして国内産業を守るために、これまでの自由主義貿易は持ち出しが大きいので（貿易赤字問題）、これを是正する環境を作るために複数間協定には参加せずの方針を打ち出しました。

貿易の交渉面では利害関係のある関係

国と一対一で折衝していく個別対応路線です。

「関税」を切り札に保護主義の路線を打ち出しこれを維持、というのがこれまでの流れとして見えてきています。

強いアメリカ復活へ——失業率改善！

強いアメリカの復活、これには経済力のアップが欠かせません。アメリカは2008年のリーマンショック以降、長い間不況に苦しんできました。この時期は第二次大戦後では、最も景気回復が遅いといわれてきました。


アメリカの経済を復活させて活気あるものにするためにトランプ大統領が掲げた公約が「実質GDP4%の経済成長」と、今後10年に創出する「2500万人の雇用」です。

そしてこの公約実現のための政策が、企業活動の重しを取る「規制緩和」と企業が米国外に設けている工場を米国内に呼び戻すためと、企業の利益や個人の所得を増やすための「税制改革」でした。

■アメリカの失業率の推移

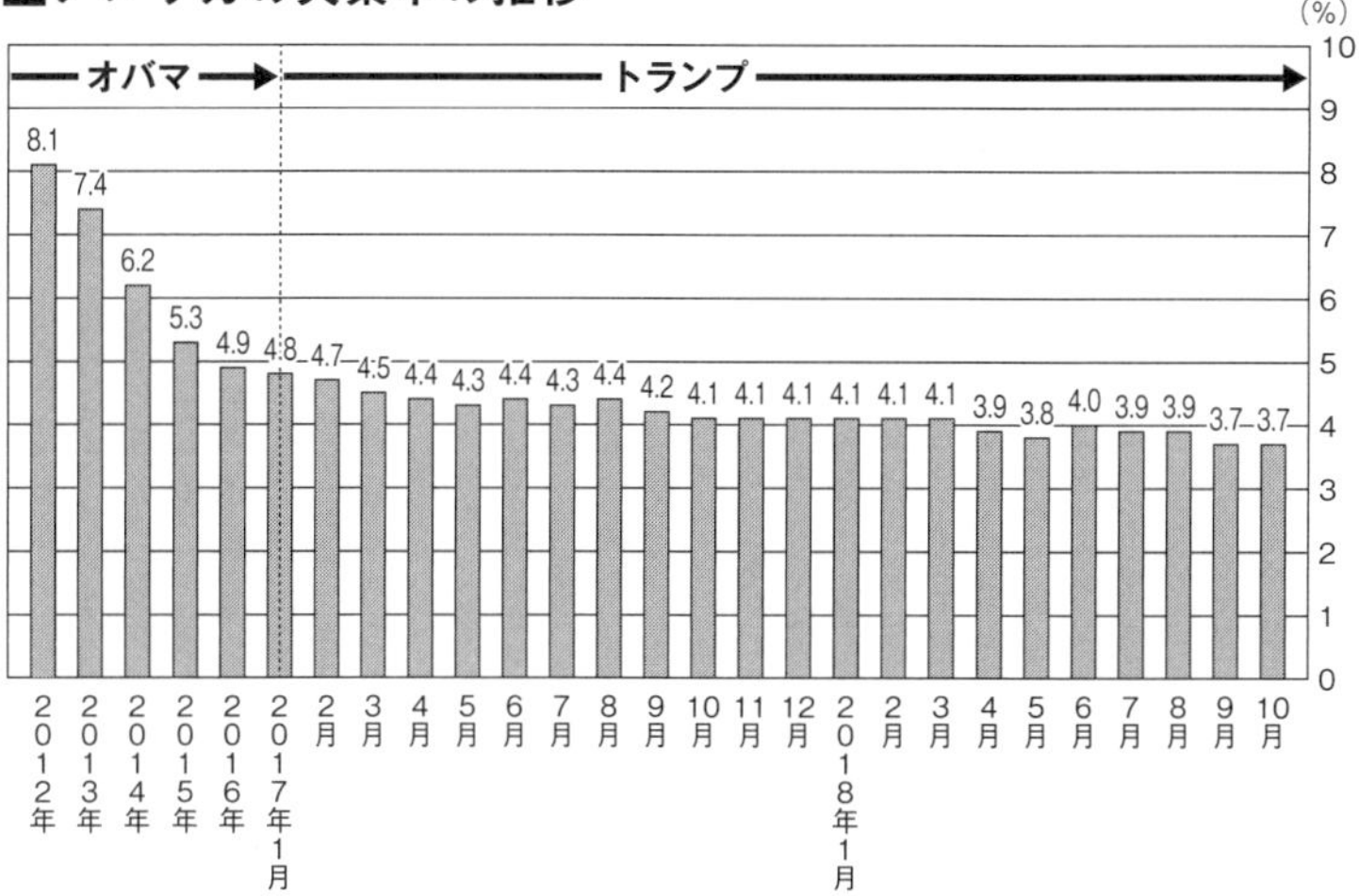

※アメリカの失業率は、現在雇用されていないが、働く意志のある労働人口の比率。

特に世界でも最も高い水準にあるといわれていた「法人税率」に手を加えたのは大きかったようです。それまで35％だった連邦法人税を21％に下げ、個人の所得税も簡素化して、重圧感ある従来の税制を壊して新しくして身軽にしました。そして企業もヒトも活気づける、思惑どおりの結果が生まれています。

上の図は経済指標の一つ、米国の失業率の推移を表わしたものですが、これを見ると、２０１７年１月のトランプ大統領就任以来、失業率は下降の一途をたどって現在は４％前後と、ほぼ最高の状態にあるといわれています（２０１８年秋時点)。

規制緩和で国内産業をバックアップ

失業率の改善＝雇用増加が続く要因の一つと考えられるのが、トランプ大統領による規制緩和の積極推進です。トランプ大統領は就任後、規制改革タスクフォースを設置しました。これはオバマ政権時代に導入された規制について見直しを進めるためのもので、これによって様々な分野で規制の見直しと撤廃が進みました。

また新たな連邦規制を導入する際には、既存の二つの規制を撤廃することを義務付ける大統領令も発布して、徹底して不要な規制を解除していきました。

オバマ前大統領は、２００８年のリーマンショックからの米経済立て直しが課題だったので、金融分野の規制を大幅に強化しました。

同時に国際的な流れに乗るように地球温暖化対策にも力を入れ、環境規制も強めてきた経緯があります。トランプ大統領はこうした前政権の政策転換を推し進めていて、これらの規制緩和の動きを経済界は好意的に受け入れています。

（2018年4月5日　ロイター）

米銀最大手であるJPモルガン・チェースのジェイミー・ダイモン最高経営責任者は、株主に宛てた年次書簡で、減税や規制緩和の取り組みが自行の利益を押し上げていると指摘し、トランプ政権を称賛した。

〈規制緩和例〉

土地利用に係る規制の見直し
環境規制の緩和・排除
認可の合理化と国内産業に対する規制負担の軽減
ドローンの商用利用への規制緩和
「ドッド・フランク法（金融規制改革法）」の一部を見直し
火力発電所で発生する石炭灰の廃棄規制

そして、規制緩和と同様に重要な政策である国と国の交渉事となる貿易協定の見直しは、トランプ大統領からすれば米国労働者を保護することを意味し、米国労働者の利益を損なう者は排除していく、という強い意志を持ってこれまでの交渉事を進めています。

あくまで雇用を米国内に戻す、そして給料を増やす、製造業を復活させる、そして強いアメリカを復活させる。このシナリオ通りに進めているのです。

減税でアメリカ国内回帰の気運増

アメリカ経済にとって大きな効果をもたらしたのは、やはり2018年の減税です。これは今後にも好影響を与えます。アメリカ国内での投資が活発化するからです。

法人税が35%から21%へ下がったということは、海外に出て行ってしまった企業を国内に呼び戻すための〝国際競争力〟が増すことを意味します。減税前のアメリカの税率は実効法人税率で40%近くあり（カリフォルニアの場合）、米国国内企業が税金の安い海外へと拠点を移したのもうなずける話です。

しかし、今回の大幅減税でこうしたマイナス要因がなくなりましたから、これが今後のアメリカへの投資が伸びる根拠になります。

また、アメリカ国内でも企業の移転先の選択に大きく影響してきます。

アメリカの場合、州によっては州税としての法人税がない州があります。60ページで述べたように、テキサスは州法人税のない州の一つで、州として国際競争力を持つ、米国の中でも特別な存在、成長力の大きい州になる可能性があります。

テキサス州にとっては、カリフォルニア州など企業誘致のライバル州とくらべて税金が安く済むというのは大きなアピールポイントになります。企業側にとっては収益効果として企業移転がしやすくなります。その分、設備投資や住宅投資など、経済面で地域が潤うことになるので、州としてもメリット大なのです。

北米トヨタのカリフォルニア州からテキサス州への移転はその代表例ですね。

減税で国際競争力をつけるアメリカ

ちなみに世界の主要国のうち、現在、税率の高い国はフランス、次いで日本とドイツで、日本とドイツの法人税率（実効税率）は約30％です。フランスのマクロン大統領は選挙の時に法人税を33%から25%に減税することを公約していますので、そのうち日本とドイツが世界一法人税の高い国になりそうです。

そして、アメリカは35%から21%へ。当初、トランプ大統領は選挙期間に法人税を15%にすることを公約にかかげましたが、議会での議論をへて21%の税率になりました。

イギリスの法人税も2020年には17%にまで引き下げられます。

世界的に法人税は減税傾向です。アジアでは、多くの国が日本よりも低い税率になっていて、中国は25%、韓国は25%、シンガポールは17%です。

アメリカという世界一の経済大国の法人税率が21%。これは中国よりも低い税率なわけですから、トランプ大統領の「アメリカ・ファースト」の本気度が十分理解できます。もし当初の公約通り15%になっていたら、世界中の大企業がアメリカに集中したかもしれません。

グローバル時代と呼ばれて久しいですが、日本を外から見ていると世界は国同士でこんなにも競争しているのに、日本はのんびりしているとつくづく感じます。そして心配になってきます。

■各国の実効法人税率（2018年）

国名	法人税率（%）	実効税率（%）	
アメリカ	35.00	38.91	（2017年まで）

フランス	34.43	34.43	
オーストラリア	30.00	30.00	
ドイツ	15.83	29.83	
日本	23.20	29.74	
ニュージーランド	28.00	28.00	
イタリア	24.00	27.81	
韓国	25.00	27.50	
カナダ	15.00	26.80	
アメリカ	21.00	25.84	テキサスは州税がないので21％のみ
スペイン	25.00	25.00	
オランダ	25.00	25.00	
オーストリア	25.00	25.00	
ノルウェー	23.00	23.00	
イスラエル	23.00	23.00	
スウェーデン	22.00	22.00	
スイス	8.50	21.15	
イギリス	19.00	19.00	
チェコ	19.00	19.00	
ポーランド	19.00	19.00	
アイルランド	12.50	12.50	
ハンガリー	9.00	9.00	

（OECD Tax Databaseより作成）

※アメリカの実効税率は、50州とコロンビア特別区の税率の加重平均。

「日本にグローバル企業は育たないのかもしれない」
「日本の将来は大丈夫か？」

国際的に競争環境が大きく変わっているわけですから、日本も企業が身軽に動ける環境を整えないと優良な企業ほど海外移転ではなく、海外へと逃亡していくことになります。そんなとき、私たち米国での日本人生活者はどうなるのでしょうか。

「インフラ投資」から未来のアメリカを読む

気になるのは今後のアメリカです。

中長期的にアメリカを見る指標があります。「米国大統領経済報告」というもので、これは「大統領経済諮問委員会（ＣＥＡ）年次報告」と一体として毎年2月頃に公表され，議会に提出されるものです。

この報告では、経済情勢や政権の経済政策に関する記述・分析が行われていて、「一般教書」「予算教書」と並びアメリカの「三大教書」の一つに数えられています。

２０１８年2月発表の報告では「政権の成長志向の政策課題（pro-growth policy agenda）すなわち減税・税制改革・規制緩和が経済への大きな信頼と楽観主義をもたらした」と総括され、今後も３％超の成長が続くとの見通しが示されています。

中長期の予想ですから楽観的観測がかなり含まれているので、１００％鵜呑みにするわけにはいきませんが、楽観的な観測が生まれる背景には、トランプ大統領が公約である減税を実現したあと、次のテーマである「インフラ投資」を行うことへの期待感が根底にあります。

「インフラ投資」というのは、今後10年間で政府と民間合わせて1兆５０００億ドルの投資を促進していくというものです。

全米の老朽化した道路、水道、その他老朽化した公共設備をリニューアルしていく壮大な計画です。この計画が動き出すと長期的な安定雇用が生まれ、米経済の活性化が期待される、そういう筋書きです。

成熟した社会環境をいま一度作り直す、という感覚です。3億人の人口を持つ国の足元を作り直すということですから、その経済効果を期待しないわけがありません。

一方で、景気の良し悪しの視点から離れて「インフラ投資」を見ると、この「インフラ投資」が未来のアメリカの姿を作っていくことになります。

例えば、ヒト、モノの移動技術は日々進歩しています。今、テキサスで進んでいるダラス・ヒューストン間での日本の技術を導入した新幹線もそうですが、こうした都市間を結ぶ高速鉄道やイーロン・マスクが実現を目指している「ハイパーループ」（減圧されたチューブ内を磁気浮上させたカプセルが飛行機並みのスピードで移動するもの）、自動運転自動車、空飛ぶクルマなどがＩＴと絡み合って新しい都市「スマートシティ」を生み出していく、そんな新しい都市空間がその後に見えてくる。そんなワクワク感が私の中にあります。

私の住んでいるテキサス州は、実際にそんな未来感に包まれたところです。そのため、アメリカは将来、おそらくこうなっていくのだろうという確信のようなものがあるのです。

「フォーチュン500」の企業が集まるテキサス

テキサス州にはフォーチュン500第2位の石油メジャー最大手であるエクソンモービル（Exxon Mobil）を筆頭に、アメリカ最王手の電話会社AT&T、世界一の航空会社アメリカン航空（American Airlines）、集積回路を発明したアナログIC世界最王手のテキサス・インスツルメンツ（Texas Instruments）など、計54社のフォーチュン500企業が本社を置いています。これは全米で2番目にあたります。

＊「フォーチュン500」とは、米国「フォーチュン」誌が年1回編集・発行する、総収入に基づきランキングされた全米上位500社のリスト。

テキサスには、デジタルメディア系、環境系、エネルギー系、軍事・宇宙産業系まで幅広い分野の産業拠点が続々と集積してきています。

また、成長著しいIT産業においては、テキサス州の州都オースティンとその周辺には700とも800ともいわれる最先端企業が集まっており、別名「シリコンヒルズ」と呼ばれて活況を呈しています。

例えば、オラクルがオースティン市に約5万坪、東京ドーム約3・5個分の広大なキャンパスを建設してクラウドコンピューティングによるイノベーション発信地を目指す、という動きもあります。

日系企業も続々と集まるテキサス

こうした米国内企業の動きの中で、近年、日系企業もこのテキサスに集まり始めています。

建機製造大手のクボタが米販売子会社の本社を移転し、ＮＴＴコミュニケーションズが世界最大級のデータセンターを提供したり、電機大手のパナソニックがデジタル関連の拠点を移しています。

また三菱重工業が米国法人の本社をニューヨーク州から移したり、ダイキン工業が米国の中核拠点となる工場を新設するなど、日系企業のテキサス進出の動きが活発なのです。

以前からテキサス州には、例えばダラス地域にはセブン&アイグループの完全子会社であるセブン-イレブン（7-Eleven）本社や日本電気（ＮＥＣ）の米国本社及び富士通ネットワークコミュニケーションズなどがあったのですが、２０１５年にトヨタの北米本社がカリフォルニアから移転することが発表されたのを契機としてテキサスが注目されたせいもあるのでしょう。日系企業のテキサス進出がこれまで以上に加速をつけたように活発になっています。

日本企業が海外で稼ぐことを本気で考え始めた

こうした企業移転・進出の背景には何があるのでしょうか？

その第一は、米国に先行して進出している企業がグローバル展開をもう一段二段進めていく深耕策として動き始めたということです。

テキサスに拠点を設ける企業の多くは、州法人税と所得税がゼロという税制面とあわせて、テキサスがアメリカのヘソの位置にあることを重視しています。

ダラス、ヒューストンにある巨大な国際空港の存在は大きく、全米を視野に入れて事業展開する企業にとってテキサスは、ニューヨークやワシントンなど東海岸、ロサンゼルスやシアトルなど西海岸のどちらにも行きやすい好立地です。

道路網も然りで、陸路は48時間以内にアメリカの主要都市の9割にアクセス可能です。広いアメリカで移動や物流の利便性が高いことは大きなメリットなのです。

早くから米国に進出した企業が「全米展開と深耕」を意識したビジネスを志向し始め、テキサスのこの利点を最大限に活用しようとしているのです。

1970年代から本格的に始まる日米の貿易摩擦は、繊維製品やテレビなどの電化製品の輸出自主規制、そして自動車輸出の自主規制などを経て、製造業を中心に米国内での生産拠点を設ける形で米国進出をしてきました。

そして日系企業の米国進出のパターンは、日本に近い西海岸、主に市場の大きいカリフォルニア州に初拠点を設けて展開していくというものでしたが、これらの企業が次のステージを求めて動いてきたのです。

こうした製造業の大企業、トヨタはもとよりクボタやパナソニックなど、最近ではNTTなどの情報産業等々、巨大な設備投資を伴う企業が、税制も有利で土地も豊富にあり人材も豊富、電力も安価で安定しているテキサスを選んでやってきたのです。

■テキサスに進出した日系企業

●**大和ハウス＝2014年３月**
現地法人ダイワハウステキサスが賃貸住宅事業を本格的に開始

●**米国日本通運（本社NY）＝2015年１月**
テキサス州サンアントニオに米国国内で５カ所目となる営業拠点（サンアントニオ営業所）を開設（テキサス州ではダラス・ヒューストンに続く三つ目）

●**パナソニック＝2015年２月**
ビデオインサイト社買収（ヒューストン本社教育関係向け映像セキュリティシステムの提供）

●**積水ハウス＝2015年３月**
米国子会社・北米セキスイ・ハウスLLCがテキサス州デントンカウンティの都市開発用地を取得。住宅開発進める

●**三菱重工業＝2016年５月**
米国法人本社を東部ニューヨークからテキサス州ヒューストンに移転

●**回転ずし店「くら寿司」＝2016年５月**
テキサス州１号店ダラス近郊プレイノに開業

●**クボタ＝2017年４月**
米販売子会社の本社をカリフォルニア州からダラス近郊に移転

●**ダイキン工業＝2017年５月**
米国の中核拠点となる工場をヒューストン近郊に新設

●**NTTComグループ会社RagingWireDataCenters＝2017年６月**
「テキサスダラス1（TX1）データセンター」の提供を開始

●**米国トヨタ＝2017年７月**
米国テキサス州プレイノ市の北米新本社屋始動

●**東急リバブル＝2018年５月**
現地法人をカリフォルニア州ロサンゼルスとテキサス州ダラスに設立

●**JR東海＝2018年８月**
「ハイスピード・レールウェイ・インテグレーション・コーポレーション」（HInC）をダラスに設立（テキサス新幹線関連事業）

そしてこれらの企業は日本市場の停滞・縮小と同時に海外依存を高める傾向にあります。また、企業成長を続けていくには米国の市場に深く入り込んでいく必要があり、そのための「地の利」がテキサスだったのです。

未来につながる都市開発・住宅開発が有力ビジネスに

二つ目の背景は不動産開発、中でも住宅関連です。

不動産開発ビジネスや賃貸、中古住宅の仲介など、ストックビジネスに活路を見い出す住宅関連企業にとっては、開発による伸びしろが大きいことと、その後に続く中古住宅流通などによるストックビジネスが巨大であることが魅力なのです。

積水ハウスや大和ハウスはともに日本国内で売上高1兆円を誇る住宅企業の二大巨頭ですが、日本国内の住宅市場はいわば飽和状態。今後は人口世帯数の減少にともない住宅の新築需要は減っていきます。

住宅ビジネスは基本的に地域密着の地場産業ですから、市場の成熟化は企業成長のストップを意味しますので、これを打開していくには日本以外の市場を開拓していくしかなく、テキサスでの住宅開発はその一環です。

また米国では中古住宅の市場が新築市場よりもはるかに大きいので、109ページの表にあげた東急リバブルのほかにも日本の不動産企業が今後も新規参入してくることでしょう。積水ハウスや大和ハウスのように開発もできる大手住宅企業であれば、開発した後の住宅を中古住宅流通させていくストックビジネスにつなげていくこともでき、日本でのビジネスモデルが活かせます。

人口増が続くテキサスでは、不動産価格が上昇しすぎたカリフォルニア州などの西海岸より土地代がかなり安いこともあって、住宅は有力なビジネスなのです。

国家の核となる巨大なエネルギー産業

第三に、製造業や情報産業など巨大な設備を持つ企業を支える重要な要素として、エネルギーがあります。

石油、天然ガスをはじめとして風力などの再生エネルギー等、テキサス州はエネルギーの宝庫なのです。そして電力の自由化による安価な電気代が州内の企業を支えます。

テキサス州は今や全米の石油生産量の4分の1、天然ガス生産量の3分の1、石油精製能力の4分の1を占めるほどの全米最大規模の資源を持つ州です。

そして現大統領のトランプを強気にさせているのが「シェールガス」の存在です。テキサス州にあるシェールガス層のうち、最も開発が盛んなのがメキシコ湾岸にある「イーグルフォード・シェール」と呼ばれる層です。

ここには原油のほかプロパンなどの天然ガス液（NGL）が豊富に埋蔵されていますが、技術発達によって掘削が可能となったシェールガスが米国をエネルギー輸出国に変えるほどに、世界的にも米国の位置づけを変えてしまったのです。

このシェールガスがテキサス経済を牽引する新しい原動力に加わり、ここで活躍する日系企業には、三井物産、丸紅、日揮、東京ガス、大阪ガスなどがあります。

またシェールガスの掘削技術でも、三菱コンプレッサー、兼松とJFEスチールによる油井管（ゆせいかん）加工工場など日系企業が多くかかわっています。

小売り、サービス業……生活ビジネスにチャンス大！

こうしてテキサスに集まってきた企業の従業員とその家族へ提供されるビジネスがスーパー、小売り業、外食産業、そして各種サービス業など。こうした生活密着産業は、まさにこれからという状況にあるのです。

テキサスには日本のチェーン店も次々と進出しています。

１００円ショップのダイソー（Daiso Japan）は２０１５年にキャロルトン市にテキサスでの第一号店を開店しましたが、開店時の売上は全世界で一番の記録となったそうです。その後、アービング店、プレイノ店、フォートワース店、アーリントン店と次々に出店し、これからもフリスコ店などダラス都市圏に計10店舗そしてヒューストン都市圏に10店舗を開くことを公表しています。

回転寿司の無添加くら寿司（Kura Revolving Sushi Bar）は２０１６年にテキサス州プレイノ市にテキサスでの第一号店を開店しましたが、こちらも記録的な売り上げを記録しています。その後、ダラス都市圏に2店舗（キャロルトン店とフリスコ店）、ヒューストン都市圏に3店舗そしてオースティン店とテキサスの各地に出店を続けているほどです。

現地日本人向けビジネスも

紀伊國屋書店（Kinokuniya USA）は2016年にキャロルトン市にテキサスでの第一号店を開店し、翌2017年に新たにテキサスへ進出した日系スーパー（ミツワ・マーケットプレイス）内にプレイノ店を開店、今年2018年はオースティン店が開店しました。

カリフォルニア州で日本人の生徒数第1位の学習塾である優塾の井沢（前）塾頭は、ダラス近郊で日本人が増えているのに学習塾がないことを知り、少しでも日本や現地校の勉強に困っている子どものサポートができればという思いから、カリフォルニア州の同塾チェーンをフランチャイジーに譲渡し、新たにプレイノ市で優塾を開校しました。

ちなみに、共著者である中野博が創設した信和義塾大学校も、カリフォルニア州のロサンゼルス、シリコンバレーに続く3校目として、ここダラスに2017年開校し、私が校長を務めています。やはり、日本人が増えていきますので、多様な教育や研修プログラムが必要なのです。

州ごとに違う最低時給

アメリカにおける最低賃金は、アメリカの労働法及び州及び地方の法律によって定められています。ですから経営者は連邦、州、及び地方の法律で定められた最低賃金を労働者に支払わなければなりません。

現在、連邦政府が定めている1時間当たりの最低賃金（時給）は７・２５ドルです（２００９年に規定）。テキサス州の最低賃金は連邦政府と同じ７・２５ドルです。ちなみにウエイトレスなどチップ（心づけ）を受け取れる仕事の場合は別に定められていてこちらは２・１３ドルです。

一方で、カリフォルニア州はチップの有無に関係なく11ドルと定められています。しかも、カリフォルニア州では毎年段階的に最低賃金が引き上げられ、２０２２年には15ドルとなる予定です。企業にとって人件費は支出の大きな部分を占めますので、正直いってカリフォルニア州で飲食業を経営するのは大変なのです。

テキサスに注目する日本企業

テキサス州へ企業や工場が進出する一連の流れは、「アメリカへの製造業の回帰」として、強いアメリカの復活を予感させると同時に、テキサス全体が新しい都市に生まれ変わろうとしているという意味で、まさに今世紀最初で最後のアメリカンドリームの舞台になることを米国内の多くの企業が感じ取っている結果だと思います。

その流れを日系企業も感じているからこそ、テキサスへの進出が増えているのだと私は分析しています。

ジェトロの調査では、「今後2～3年で市場が拡大すると思われる州」として、テキサス州は3年連続トップです。日系企業が本社機能をテキサス州への移転・新設をする背景がこの調査結果からもうかがえます。

■今後2～3年で市場が拡大すると思われる州

2014年（調査数469社）			2015年（調査数499社）			2016年（調査数461社）		
順位	州名	回答数	順位	州名	回答数	順位	州名	回答数
1	テキサス	196	1	テキサス	239	1	テキサス	273
2	カリフォルニア	123	2	カリフォルニア	162	2	カリフォルニア	175
3	オハイオ	76	3	ジョージア	69	3	ジョージア	88
4	ニューヨーク	65	4	ニューヨーク	65	4	ニューヨーク	74
5	ジョージア	52	4	オハイオ	65	5	ミシガン	67
6	テネシー	51	6	テネシー	54	6	イリノイ	66
7	ミシガン	50	7	ミシガン	53	6	インディアナ	66
8	マサチューセッツ	45	8	インディアナ	51	8	オハイオ	60
9	インディアナ	39	9	アラバマ	47	8	アラバマ	60
9	ノースカロライナ	39	10	サウスカロライナ	42	10	テネシー	59

（ジェトロ「米国進出日系企業経営実態調査」より）

13年連続、ビジネスしやすい州に選ばれるテキサス

テキサス州は、企業CEOが選ぶ「ビジネスをする上で最も魅力的な州」としてトップ10に毎年ランキングされています。

ダラス・フォートワース、サンアントニオ、ヒューストンで囲まれた、いわゆる「テキサス・トライアングル」（37ページ図参照）における経済的活動は特に活発とされ、大きな期待を持たれているのです。

アメリカ企業の最高経営責任者を対象としたウェブマガジン「Chief

Executive」では、13年前から毎年、「Best & Worst States for Business」、すなわちアメリカ50州の中で最もビジネスがしやすい州と、そうでない州のランキングを発表しています。

2017年はテキサス州が13年連続で一番ビジネスをしやすい州に選ばれ、カリフォルニア州は6年連続で一番ビジネスをしにくい州に選ばれています(ニューヨーク州は49位、シカゴがあるイリノイ州は48位)。

民のテキサス、行政のカリフォルニアの違い

テキサス州とビジネス的な面でよく比較されるのがカルフォルニア州です。昔はカルフォルニア州も日系企業をはじめとした世界各国の企業にとって魅力的なビジネスの聖地ではあったのですが、今では、ビジネスがしにくい州のワースト3に入るまで、州としての魅力は落ちてしまいました。

その理由はいくつかありますが、まずは、州自体が「行政主導」と「民間主導」、どちらで回っているかというのが大きいところでしょう。例えば電気事業で見ていきましょう。

2004年時点で、カリフォルニア州の電気代はテキサス州より47%高い状況にありました。その後もカルフォルニア州は、行政が主導となって再生エネルギー産業に補助金をどんどんつぎ込みました。一方で、再生エネルギー産業の参入を緩和して、企業努力に任せたのがテキサス州です。まさに民間主導です。

結果、なんと2017年には、カリフォルニア州の電気代はテキサス州より86%も高くなってしまいました。カリフォルニア州では政府の要求で、発電時に二酸化炭素排出を削減しなければならないため、州全体で家庭や企業の電気料金が引き上げられており、収入が少ない家庭は支払いに苦しんでいるという話も聞きます。

一方のテキサス州はどうかというと、再生可能エネルギー使用の割合を増やし、電力会社の電力販売をいち早く自由化するなど民活促進政策を進めた結果、州の電力料金を引き下げる「フリーマーケットアプローチ」に成功。その結果、全米平均より電気代を約2割も安くすることを実現したのです。

この電気料金の格差は、工場など設備を伴う製造業や倉庫業はもとより、あらゆる企業に関係してきます。最近ではIT関連や通信関係のデータセンターのテキサスへの進出が目立っていますが、その理由は税制とともに電力料金など施設運営コストの面でメリットがあるからです。

見た！　聞いた！　テキサス進出企業レポート

——大和ハウス工業のテキサス・プロジェクト

大和ハウス工業が米国本社のあるダラス近郊にて開発した582戸の賃貸住宅「ウォーターズ・エッジ・プロジェクト（Waters Edge Project）」を見学に行きました。

敷地面積は約11万平方メートルで東京ドームの約2・5倍の面積。当プロジェクトはダラスに本社を置く大手不動産会社リンカーン社（Lincoln Property Company）との共同プロジェクトです。

顧客ターゲットは「ジェネレーションY」と呼ばれる1975〜89年生まれの世代で、世帯年収が高く専門職に従事する人や大手企業の従業員などです。

——積水ハウスのテキサス・プロジェクト

積水ハウスの米国子会社がテキサス州デントン郡にて行っている都市開発プロジェクト

「キャニオン・フォールス（Canyon Falls）」を見学に行きました。

敷地面積は約４・９平方キロメートル。

セキスイが投資会社ウィーロック・ストリート・キャピタルから都市開発用地を10億ドルで買収しました。同地には１５９４戸の住宅物件と商業施設が建設される計画で、住宅は、トール・ブラザーズ（Toll Brothers）などの住宅メーカー10数社がセキスイから土地を取得して建売住宅販売（価格は30万ドル台から80万ドル台）をしています。

――日本食材スーパー「ミツワ」

先日訪問したトヨタ北米新本社屋に出張店舗がある日本食材スーパー「ミツワ（Mitsuwa）」を訪問しました。

ミツワは１９９７年に経営破綻したヤオハンの元社員が営業譲渡を受けた日本食材スーパーで、２０１２年に仙台の総合商社カメイのグループ企業となりました。

現在はカリフォルニア州、イリノイ州、ニュージャージー州、テキサス州そしてハワイ州に合計11店舗あります。

テキサス州プレイノ店は２０１７年４月14日にオープンしました。

店内には紀伊國屋書店、らーめん山頭火、源吉兆庵などがあり、まるで日本にいるかのような感覚です。

――テキサス・プレイノで物流事業再開した上組（Kamigumi）

上組は、創業150年を迎えた港湾物流のパイオニアで、神戸港開港とともに設立されました。同社は1990年代まで展開していた米国法人を2018年「Kamigumi USA Inc.」として復活させ、その本拠地をトヨタと同じプレイノ市に置きました。

自動車産業を中心とした日系企業への物流サービスが米国・メキシコ間で旺盛なため、メキシコ同様に米国にも自社拠点を再度設けることで、戦略的な物流サービスの提供を行うことができると判断したからです。

――西日本鉄道がプレイノ市で不動産事業

2018年5月24日付の日本経済新聞によると、西日本鉄道が三菱商事の現地子会社、現地の不動産開発企業と共同で賃貸用集合住宅を開発すると発表しました。米国で賃貸用住宅を開発するのは初めてとのことです。

プレスリリースによると、進出するのはテキサス州プレイノ市で、385戸の賃貸用集合住宅を開発。総事業費は約70億円です。プレイノ市を選んだのは、テキサス州で企業の進出や開発が進んでおり、今後の成長が見込めると判断したためです。完成は２０２０年3月の予定。ある程度部屋が埋まった段階で機関投資家などに物件を売却する計画です。

住友林業の日経全面広告

２０１８年4月19日付の日本経済新聞の住友林業【全面広告】はインパクトがありました。世界最大級のトレードショー SXSW ２０１８リポートという形をとった企業広告で、地域それぞれの住宅文化、消費者ニーズに寄り添い住宅市場に新たな価値を提供するという内容です。

住友林業は２００３年から米国で住宅事業を開始。現在5社のビルダーと連携し、北米エリアの住宅販売は年間６０００戸を超えるまでに成長しています。

テキサスでパートナーシップを結ぶのは次の3社です。

●Bloomfield Homes：一次取得者層向けに住宅を供給。テキサス州ダラス・フォートワースエリアを拠点にビジネスを展開。

●Gehan Homes：２０１６年アメリカ住友林業が完全子会社化。テキサス州のみならずアリゾナ州フェニックスにも拠点を持つ。

●MainVue Homes：２０１５年、シアトルからテキサス州ダラスに進出。デザイン力でハイエンド層に訴求。

現地と日本の設計者の相互の交流を図ることで、それぞれの地域の住宅文化を生かしながら、新たなデザインを市場に提案するという手法でパートナーシップを強化。住友林業ならではの木造建築技術や品質管理、家づくりの手法を、地域に適した形で取り入れました。テキサス州においては、２０１７年にギーエンホームズ社が大手ビルダー団体主催の表彰制度で大規模ビルダー部門の最優秀ビルダー賞を受賞しています。

色々な会社の移転が続くダラス経済圏

２０１８年５月にテキサス州ダラス・フォートワースエリアに本社移転を決めた会社をご紹介しましょう。

Payless ShoeSource＝全米と台湾・香港にもお店のある靴屋さん。カンザスから。

Syncapay＝ペイメントサービス会社。ボストンから。

Flexjet＝プライベートジェット会社。カリフォルニアから。

AMN Healthcare Services＝医療系人材派遣会社。カリフォルニアから。

そして、女性に人気のスムージー。スムージーキングの本社もテキサスに引越しです。

続々とテキサス州に有力企業が集まり始めているのです。

第4章

アメリカ経済の新しい中心となる可能性

ダラス、ヒューストン、オースティン、サンアントニオと、
人口増加と成長が著しいテキサス。
都市交通網の革新的変化を受け、
アメリカの「要」となる日は近い。

空飛ぶクルマが飛び交う？　テキサス・ダラス

人類の夢の一つともされる「空飛ぶ車」。その夢がダラスで実現しようとしています。米ウーバーテクノロジーズは、２０２０年に向けて実用化を目指す「空飛ぶタクシー」の最新コンセプト機「eCRM」を２０１８年に公開しました。垂直離着陸が可能な小型の飛行体です。

・離着陸時は水平に回転する４組の電動プロペラが駆動
・一定の高度に達すると尾部のプロペラが前方への推力を生み出す
・巡航速度は時速２４０～３２０キロメートルを想定
・１回の充電で97キロメートルを飛行できる性能がある

注目すべきは、この「空飛ぶタクシー（車）」について、ウーバーは２０２０年にダラス近郊などで試験飛行を実施すると発表していることです。そして２０２３年には「空飛ぶタクシー」を使ったサービスである「ウーバーエア」を米国内で実施する計画を明確にしています。

２０２０年の試験飛行は、当初の計画ではダラス（フォートワース）とロサンゼルス、ドバイの３カ所で試験運転実施を予定していましたが、ドバイとの契約がなくなりましたので、結局、米国内のダラスとロサンゼルスに絞られました。

「空飛ぶタクシー」は発着点であるスカイポート間を飛行します。スカイポートのデザイン案はウーバーのほかダラスの設計事務所などからも発表されていますが、それを見るとまるで宇宙ステーションのようで未来感あふれています。

こんな建物が空港や街中にできて渋滞なく移動できる日がそう遠くない日に実現する。そんな新しい暮らし方の実験の舞台がここテキサス・ダラスにはあります。

ウーバーとテキサス大学オースティン校とのタッグ

これまでにない新しい技術を実現させるためには、それ相応の〝頭脳〟が必要です。ここで注目したいのは、ウーバーは空飛ぶタクシーを実現するための研究開発パートナーに

「テキサス大学オースティン校」を新たに選出したことです。

地元の大学が同プロジェクトのパートナーに選ばれるということは、高い確率で、ダラスがスタートアップの地となると私はにらんでいます。きっと近い将来、ダラスの空には、世界の最先端の技術としての「空飛ぶ車」が走っている（飛んでいる？）ことを期待してなりません。

一番肝心な、航空管制システムの、ドローンを含めた航空機の急増にどう対応するのかという課題に関しても、関係者によると、ダラスとフォートワースを結ぶ路線については専用空域を設ける構想があると説明していることからも、ダラスでの実現は現実味を帯びてきていると感じます。

※専用空域とは　従来の飛行機などは関係ない、「空飛ぶタクシーの専用路」を作ること。ウーバーが交通管制を担う計画だとされる。

都市の成長は交通手段の発達に左右される！

私がなぜ空飛ぶタクシーの話題を取り上げたのか。それはウーバーのような企業が都市の成長性を左右する、そんな時代になると考えているからです。

都市は成長するとともに数々の問題を抱えていきます。

例えば、ヒト・モノの移動時間です。混雑・渋滞によるタイムロスは軽視できません。車社会のアメリカでは、大都市の渋滞は社会問題でもあります。

拡大途上のテキサスのダラスでもこの数年、クルマの渋滞が激しくなってきましたから、いずれ社会問題化していくでしょう。ウーバーのような企業にはこうした課題を解決できる技術があります。

ヒトやモノを効率よく動かしていくことは、都市自体の生産性を高めることにつながります。

例えば東京。東京都の人口は約1300万人、神奈川、埼玉、千葉をふくむ広域の東京圏で考えれば3000万人規模の巨大都市です。その経済規模は米国のシンクタンクによれば（2016年の数値比較）、東京圏1兆5369億ドル（169兆円）、これは同1兆3342億ドルのニューヨークを超える規模です。

多くの上場企業が本社を構え、大消費地となっていることが東京圏のGDPを押し上げている要因ですが、それもヒトとモノの移動を支える交通網があってこその話です。

特にこんな過密都市で正確に運行するＪＲや私鉄、地下鉄などの鉄道網の存在は大きいです。大量のヒトの移動をこれほどスムーズにこなしている都市は、ほかに見当たりません。

今日ある東京圏の世界的経済規模の実現は、こうした交通網の量と質の充実にあるといえ、それは未来の都市も同じだと思うのです。

都市の成長を支えるイノベーション企業、ウーバー

世界を牽引しているＧＡＦＡを分析した本、『the four ＧＡＦＡ　四騎士が創り変えた世界』（スコット・ギャロウェイ著　東洋経済新報社）の中でこんなことが語られています。

「世界のＧＤＰの80パーセントは都市で生まれ、大都市の78パーセントは、成長率でその国全体を上回っている。毎年、大都市に移動するＧＤＰの割合は増加している。その傾向は今後も続くだろう。世界の大規模経済圏上位１００都市のうち、36はアメリカの大都市圏だ。２０１２年には雇用の92パーセント、そしてＧＤＰ成長の89パーセントはそれらの都市で生み出されていた。」（同書374ページ）

ＧＤＰは都市に集中し、都市の成長とともにＧＤＰも拡大していくのです。そして著者のギャロウェイ氏はこう続けます。

「すべての都市が同等というわけではない。世界的な経済中心地はスーパーシティとなる。」（同書375ページ）

ＧＡＦＡが世界に与えたイノベーションが世界の都市を新しく生まれ変わらせる可能性があります。その基盤はＩＴであり、ＩＴの人と技術が、そしてＩＴ企業が集結する都市にこそ「スーパーシティ」になる資格が与えられるのだと思います。

ウーバーのような10年前だったら突拍子もない絵に描いた餅のような（実現不可能なという意味ですよ）「空飛ぶタクシー」という発想は、今では実現可能な技術として都市交通を目に見える形で変えていくはずです。

ウーバーのアプリ一つで、空飛ぶタクシーがやってきて、そしてライドシェアで中距離の動線は一つにつながる。それも自動運転などＩＴ技術があってこそ。

ウーバーを受け入れることができる都市こそ未来都市へ羽ばたくことができる。テキサス・ダラスはその最先端にいるのです

人口過密都市・東京も実証実験の候補地に

ウーバーの説明によると、同サービスの立ち上げに適した都市には条件があります。その条件とは、人口が200万人以上であることに加え、1平方マイル（約2・6平方キロメートル）当たり2000人以上の人口密度のある場所であることです。この条件を満たした都市は、空飛ぶタクシー最大の利点である「ネットワークの利便性」を十二分に発揮できるから、というのが理由です。

そして2018年12月現在、第3の実験候補地として「オーストラリア、ブラジル、フランス、インド、日本」の5カ国があがっています。前述の都市条件で候補地を絞ると、シドニーもしくはメルボルン、リオデジャネイロもしくはサンパウロ、パリ、ムンバイ、デリーもしくはバンガロール、そして東京です。

これらの都市は、空飛ぶタクシーのテストにとって役立つ理由がそれぞれあります。インドには密集した都市がありますし、IT技術者も豊富で先進技術を受け入れる素地があります。

パリは空飛ぶタクシーの技術を開発している都市でもあり、成熟した歴史ある都市で、空飛ぶクルマがどう受け入れられるか注目されます。

東京はいわずもがなの巨大都市であり、人口の密集具合も理想的です。成田空港を例にとれば、空港から街の中心地まで距離があるのもテストの地として優れているといえましょう。

eCRM-003

（Uberより）

米アマゾンの第2本社の候補に・ダラス

さらにアマゾンがどんな都市を良い都市なのかと考えているのか。これをたどっていくと未来の都市の条件が見えてきます。

2018年は、米アマゾンの第2本社がどの都市に置かれるかが注目を集めました。全米で238の都市が候補に名乗り出て、各都市で、アマゾンに対して様々な誘致提案がなされていました。

中には、アマゾン市を作ると約束した自治体や、議会の議決権をアマゾンに与えるという都市もあるから驚きです。しかし、残念ながらこれらの都市は落選。最終候補地は20都市に絞られ、最後は、ダラス、ニューヨーク、バージニア州北部の都市が残りました。

※最終的には、ニューヨークとバージニア州アーリントンに第2本社を均等分割して設置。

早々に落選した地域はなにがアマゾンにとって足りなかったのか？　羅列していくときりがないかもしれませんが、犯罪率の高さ、教育環境の問題。地元の公共交通機関網が充実していない点。財政面での優遇措置を十分に提示できなかったこと。公共サービスへの投資の不十分さなどがあるようです。

アマゾンが第2本社に求めていた点は主に以下の4つとされます。

・100万人以上の都市圏であること
・ビジネスフレンドリーな環境があること
・テック人材を保持できるポテンシャルを持つ都市または郊外であること
・立地を検討する際に創造的に考えることができるコミュニティであること

こうしたアマゾンの求める条件を満たすために、各都市が税制優遇措置などの提案に必死になっていたわけですが、私としては最初から、テキサス州にあるオースティン、もしくはダラスを最有力視していました。

というのは、オースティンの急速な発展は、シリコンバレーの発展と似通っていたからでした。先の4つが、アマゾン第2本社を置く条件としての要素ならば、その要素を最高峰のカタチで提示できるのは、残った20都市の中では「テキサス州だけ」と今でも自信を持っていえます。

そもそも、なぜアマゾンが第2本社に、これらの4つの条件を求めていたのでしょうか。

それは、この4つの要素こそが、都市の発展を決定づけるといっても過言ではないからです。

知って得する
アマゾンコラム

アマゾン第2本社の最終候補地に残っていた20の都市

アトランタ、オースティン、ボストン、シカゴ、コロンバス、ダラス、デンバー、インディアナポリス、ロサンゼルス、マイアミ、モンゴメリー郡、ナッシュビル、ニューアーク、ニューヨーク、バージニア州北部、フィラデルフィア、ピッツバーグ、ローリー、トロント、ワシントン

アメリカの底力発揮？　世界競争力ＮＯ１に返り咲き

ＩＭＤ（国際経営開発研究所）世界競争力センター（World Competitiveness Center）は、１９８９年以降、世界各国の提携機関と連携を取りながら世界競争力年鑑を出しています。今年は第30号になりました。

これを見ると、２０１７年は4位だったアメリカが２０１８年トップに返り咲きました。上位10位の国名は140ページ図の通りです。

ちなみに日本は、２０１７年は26位、２０１８年は25位という結果。国際競争力という切り口では日本は中位レベルです。

アメリカが世界競争力ナンバーワンになった要因はなんでしょう？

アメリカのＧＤＰは世界最大、石油天然ガスなどエネルギー保有量もトップクラス。そして香港やシンガポールとくらべても遜色がない税制。人口増も今後続くことですし、こ

■世界競争力のある国ベスト10（2018年）

順位	国名	2017年の順位	2016年の順位	2015年の順位
1	アメリカ	4	3	1
2	香港	1	1	2
3	シンガポール	3	4	3
4	オランダ	5	8	15
5	スイス	2	2	4
6	デンマーク	7	6	8
7	アラブ首長国連邦（UAE）	10	15	12
8	ノルウェー	11	9	7
9	スウェーデン	9	5	9
10	カナダ	12	10	5

（IMD World Competitiveness Yearbookより）

ういう条件でナンバーワンでないはずがありません。

そのアメリカの中でもテキサス州は法人税がなく世界有数の企業が集まっていること、人口も増加中、GDPは一つの州でありながらカナダほどもある。このことからもテキサス州が、世界競争力トップの国の中で、どれほど大きい存在であることか、あらためて実感できます。

アメリカで中心的な存在になるということは、イコール世界の中心になるということです。

テキサスが米経済の牽引役へ

２０１７年、テキサス州は全米一の経済成長率となりました。商務省によると、昨年２０１７年の10―12月期のテキサス州の経済成長率は５・２％です。この成長率を支えたのは鉱業分野であり、石油生産の上向きも大きな要因としています。

ＵＢＳのエコノミスト、ロブ・マーティン氏によると「米製造業に関する数字を大きく牽引しているのは、実はテキサスだ」とし、「原油相場の上昇をにらみ、他の油田でも稼動が始まっている。

パーミアン盆地が皮切りだった。油田の収益改善を背景にペンシルベニア、ノースダコタ、ニューメキシコの３州でも活動の拡大が見られる」と述べています。

労働省のデータを見ると、２０１６年12月～１７年の製造業の雇用者数の伸びはテキサス州が１万６０００人超となり、アメリカ国内でナンバーワンでした。テキサス州では２

■原油価格の推移（WTI原油先物）

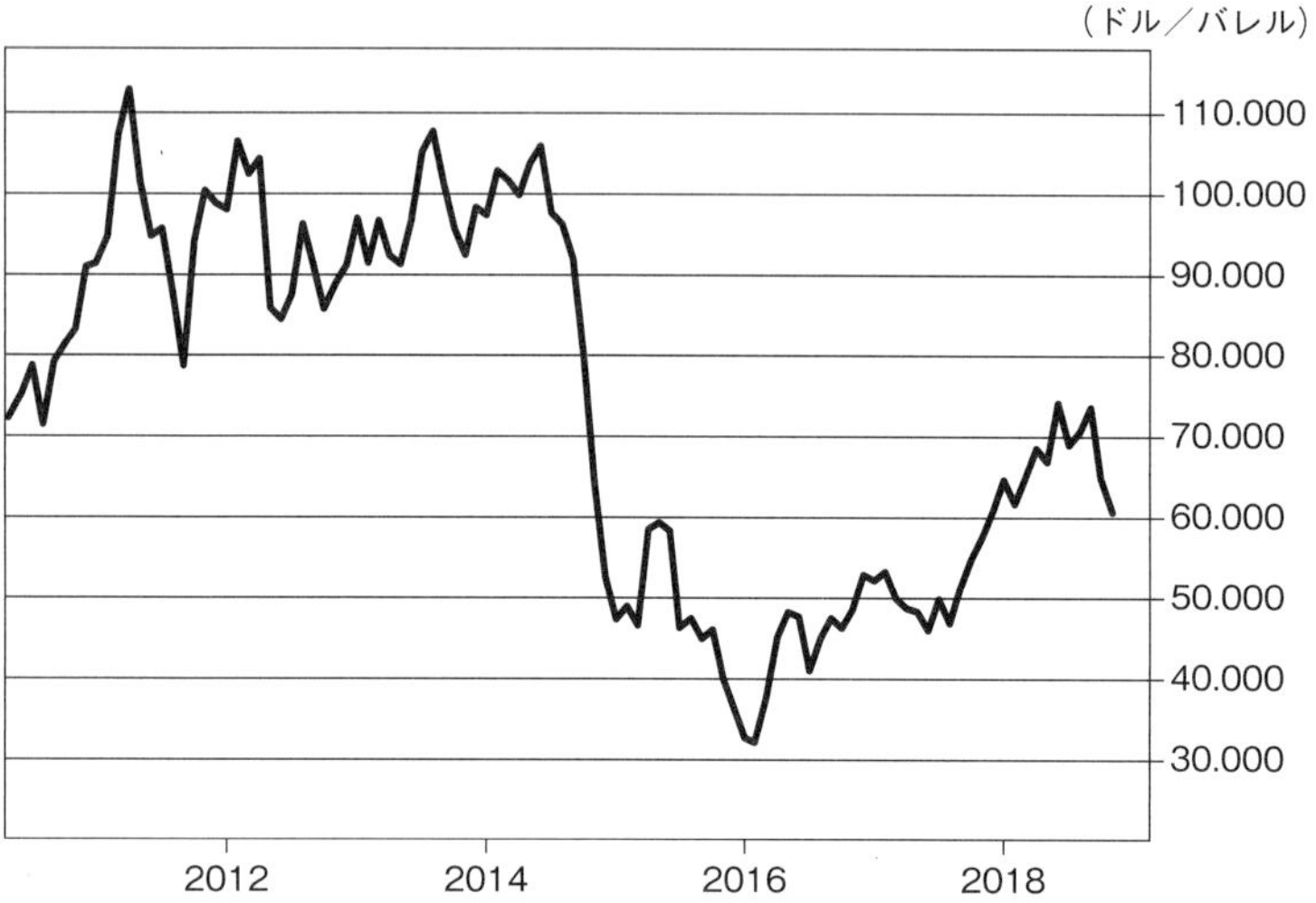

017年から製造業の雇用増のペースが国の平均を上回るようになったのです。

UBSエコノミストらは、企業の投資拡大によって雇用もさらに拡大するとの見方を示しています。

原油価格は、2014年に暴落し、これにともなってテキサス州の経済成長も弱まってしまいました。大量の雇用を失うことにつながりましたが、原油相場は2016年前半には次第に安定し始め、2017年半ばからは着実に相場の上昇を実現してきました。

急速に発展したオースティンはテキサス発展の核心地

テキサス州の州都オースティンは今、急速な発展を遂げています。

オースティンは、１９５０年ごろの人口はわずか10万人程度でした。恵まれた自然環境やカントリーミュージックなどの文化で盛り上がっていた地域で、経済規模もさほど大きなものではなかったのです。

しかし、そんな過去とは裏腹に、産業クラスターが驚異的なスピードで形成され、わずか20年で２０００社以上のテクノロジー系企業が存在する都市になったのです。結果、今では80万人を超えるまでに人口が増加し、１００万人都市になることも予想されています。

こうしたオースティンの成長過程の要素を考えてみると、ＩＴのスタートアップの地であるシリコンバレーと似た要素が揃っています。

例えば、シリコンバレーとスタンフォード大学との関係性はテキサス大学オースティン校とオースティンに集まっているＩＴ企業との関係性に重なります。ＧＡＦＡのうちグーグル、アップル、フェイスブックは、スタンフォード大学（大学ランキング2位）と良好な関係にあるといわれています。世界レベルの工学系大学であるスタンフォード大学の卒業生は、その活躍の場をGAFAほかのIT企業に求めるのですから。

テキサスに進出する企業、トヨタをはじめとする日本の企業を含めて、優秀な人材の確保が将来的にも安定してできることは非常に大事な要素です。

20世紀は、企業として優先すべきは工場を動かす動力＝電力でした。鉄鋼業、アルミ産業など重厚長大の設備産業はその広大な工場に自前の発電所を設けていました。現代は〝頭脳〟が企業のエネルギーになります。

ハイレベルの工学系と経営系の知識を持つ人材が集まる場所に企業は集まってくる、そんな時代になっています。ですからアメリカの中でも優秀な大学が集まるテキサスには、企業が今後も集まってくる要素があるのです。

成長企業は100万人都市に拠点がある

アメリカ起業家精神センターのリサーチディレクター、イアン・ハサウェイ氏がまとめたレポートである「米国内の高成長企業と都市：Inc, 5000の分析」を見ると、まず、100万人以上の都市圏である理由が明確にわかります。

本レポートは、Inc. Magazine が毎年発表する急速な成長を遂げている企業のリストInc. 5000の、2011年から2017年のデータをもとに分析したものです。

それを見ると、高成長企業の80％は、100万人以上の大都市に拠点を持っているのです。地域的な要因と、相関関係を分析した結果、高成長企業の98％が都市（人口25万人以上の都市）を拠点にしていることがわかり、また80％が大都市（人口100万人以上）に拠点を置いていることもハッキリしています。

高成長企業が拠点とする都市の共通点を、本レポートでは以下のようにまとめています。

・大学卒労働者の割合が高い
・ハイテク業界で働く専門家の割合が高い
・起業年齢の中心年齢層が35～44歳を占める割合が高い
・創業の比率が高い

ハサウェイ氏は、とある取材に対して、「こうした場所で暮らす人々にとって魅力的な場所にすることがいかに重要か、その重要性を軽視するべきではありません。多くの人が、現実的で、生活コストも手頃で、人で混雑し過ぎていない場所を求めています。同時に、その都市に住みやすさや、彼らがそれまでの経験で慣れているカルチャーも備わっていなければなりません」とコメントしています。

アマゾンが第2本社に求める条件の一つに、「テック人材を保持できるポテンシャルを持つ都市」という点があり、これも、ハサウェイ氏のコメントを読み解くと、高成長率企業が求める条件として当然のことといえます。

世界に直通するテキサスのハブ空港

また、ビジネスフレンドリーな地域であることが、その地域の企業を支援し、ビジネス的な発展を促すのは本書の中でも指摘してきたところです。

これは、労使関係において極端に労働者側優位がないことに加え、州としての法人税がないテキサス州は文句なしでしょう。立地を検討する際に創造的に考えることができるコミュニティであることという条件も、広大な敷地を十分に持つテキサス州ならば問題はありません。

そして最近、特に重要視されているのが、航空路の充実です。

航空データ情報の老舗企業ＯＡＧ（Official Airline Guide）のランキングによると、多くの航空便が乗り入れる「メガ・ハブ」を抱えた大都市ほど路線網が充実していることがわかります。

こうなると、ニューヨーク、ロサンゼルス、シカゴ、アトランタ、ダラス（フォートワース）などが上位に食い込んできます。

ダラス・フォートワース国際空港はニューヨークのマンハッタン島が入ってしまうほどの広大な空港です。利用者数は全米で第４位、発着数は世界で第４位です。アメリカ国内外への交通・物流・貿易の拠点となっていることは今さらいうまでもありません。

次のシリコンバレーはオースティン！

２０１６年１月、「フォーブス」誌が、次にブームになる都市ランクで全米第１位にあげた都市がテキサス州の州都オースティンでした。

２００４年と２０１４年の10年比を見ると、人口は13・２％増え、ＧＤＰ成長は31・９％増です。

アメリカの国内平均をはるかに上回っています。人口の伸び率だけを見ると、全米第１位です。すでにここまで述べているように、大企業も続々と移転し、ここ最近で、すさまじい発展を遂げている地域なのです。

私もこの変化を見ていましたが、２０１１年ぐらいから、目を見張るようになりました。デジタルメディアから軍事・宇宙産業まで、今ではハイテク産業が続々と拠点をオースティンに移している事実。

これほどまでに短期間で発展する理由。それは東洋哲学風にいえば「時を得る」ことにつきます。

オースティンには、シリコンバレーに設立された有力なベンチャー企業が多数存在します。テキサス大学オースティン校はインキュベーション施設などの企業支援や育成施設が充実し、今では、研究者や学生のレベルがマサチューセッツ工科大学（ＭＩＴ）をしのぐともいわれています。

シリコンバレーにおける人材育成の方法は日本とはまったく違います。

シリコンバレーでは優秀な人材にはどんどんチャンスが与えられます。そして成功した人には魅力的なリターンがあります。高額な報酬と名声で、これが現代のアメリカンドリームです。

優秀な人はいつでも扉が開かれています。

日本の大学卒業予定者の就活のように、みんな一緒ということはありません。新しいイノベーションを生み出すのに〝人材〟は命、企業のエネルギーとなりうる大事な位置づけにありますから、日本のように悠長なことをしていられないのです。

こういった舞台を目指して世界中から優秀な頭脳がアメリカに集まってきます。オースティンでも同じようなことが起きているのです。経済学でも競争の原理は市場を活発化させますが、この争いこそが、オースティンをここまで急速に発展させた要因でもありましょう。

再生可能エネルギーの要請に応えられるのはテキサス

〈アマゾンがテキサス州に風力発電所を設立〉

２０１５年、米アマゾンはテキサス州に巨大風力発電所を稼働させると発表し、２０１7年10月、建設中だった大規模風力発電所「Amazon Wind Farm Texas」を完成させました。すでに運転を始めており、巨大風力タービンを１００台以上設置し、１年間で１TWh（約10億kWh）以上の電力を発電しています。全世界の同社インフラを１００％再生可能エネルギーで稼働させることを目標に掲げています。

テキサス州スカリー郡は、豊かな風力と手頃な発電・送電コストが評価され、〝Amazon Wind Farm Texas〟の用地に選ばれたという経緯があります。

GEウインドエナジーでセールスを担当するポール・パーカー氏は、「風力資源に恵まれ、プロジェクトによる景気浮揚効果を地域住民が歓迎してくれる場所に、こうした大規模な風力発電施設を造るのは、とても理にかなっている」と語り、「とにかく豊富な風力資源が必要になるし、グリッドに集約・接続するためには、近くに送電線がなければいけない。このプロジェクトは各地点をつなぎ、最適なエネルギーソリューションをアマゾンに提供するモデルケースになっている」とも強調しています。

テキサス州は、自らで環境調査を行いました。風力発電ビジネスに効果的なエリアを割り出しながら、公的資金でグリッド網へと接続する送電線を敷設して、認可を取ったのです。

こういった取り組みを積極的に行った結果、テキサス州は次々と風力発電事業者の誘致に成功しています。自治体&事業者ともに有益なモデルを確立した、非常によい例です。「パリ協定」（COP21で採択）の影響で、各国とも二酸化炭素排出削減の責務があるからこそ、この「アマゾン×テキサス州」の風力発電モデルは、世界各国が参考にすべきところがあるといえましょう。

〈フェイスブック、テキサス州に新データセンター〉

米フェイスブックは、テキサス州フォートワースに新たなデータセンターを建設。米国内では4カ所目、世界で5カ所目のデータセンターとなりました。

同社はすでに、アメリカ国内では、アイオワ州アルトゥーナ、オレゴン州プラインビル、ノースカロライナ州フォレストシティ。他には、スウェーデンのルレオにデータセンターを所有しています。フォートワースのデータセンターは、再生可能エネルギーですべての電力を賄っています。


フェイスブックでインフラ担当バイスプレジデントを務めるTom Furlong氏は、声明で次のように述べています。

「既存の施設と同様、われわれはフォートワースが、世界で最も先進的で効率的かつ持続可能なデータセンターの一つになることを期待している。データセンターの設計において当社が続けている取り組みは、インフラ効率における当社の施策全体の重要な部分を占めており、これによってわれわれは過去3年間で20億ドルを超えるインフラ費用を節約できた」

また、フェイスブックで米西部地区のデータセンター運用担当ディレクターを務めるKen Patchett氏は、自身のブログで、「フォートワースのデータセンターは『Internet.org』の稼働に欠かせないものになる」と指摘しています。

※Internet.orgとは　フェイスブックがインターネット接続を世界中の発展途上国市場や辺境地域にもたらすことを目指す。

フォートワースのデータ施設は、電力を100％再生可能エネルギーで賄っていますので、同社が進めている「Open Compute Project」など、オープンソース技術についての良きモデルになるとも期待されているのです。

再生可能エネルギーを求めてCSR最先端企業が集まる！

事業の電力を100％再生可能エネルギーで調達する目標を掲げる企業が参加する国際イニシアチブ「RE100」。これにIT企業のアップル、グーグル、フェイスブック、マース（大手食品会社）、ナイキ、スターバックス、P&Gなど米国の名だたる大手企業が参加しています。

再エネ導入は、温暖化問題への対応としてCSR（企業の社会的責任）の実践となるとともに、石油など化石燃料に依存することで起こりうるコスト変動リスクから自社を守るという経営的な面も大きい。

先述のアマゾンやグーグルが再生可能エネルギーへ転換しようとしているのには、近年の太陽光発電の導入コストが大きく低下し、発電コストが火力や原子力よりも低くなってきたことが背景にあります。

従来の化石燃料の電力を購入するより、再生可能エネルギーを導入したほうが、経済的メリットが出るようになってきたのです。

ＩＴ企業はデータセンターなどに多大な電気を消費します。テキサスにＮＴＴが進出してきたのも安い電力が安定して手に入るからで、テキサスにＩＴ企業が多いのもこうした電気需要があるからです。たびたび停電を起こすカリフォルニアにくらべると絶対的ともいえる安心感がテキサスにはあるのです。

テキサス州は化石燃料だけではなく再生可能エネルギーも得意で、太陽光発電をしようと思えば、土地が広くて安く手に入るので、作るとしたらメガソーラーです。コストメリットを十分に出すことができます。また風力発電の適地も豊富にあります。

そしてこれが特筆すべき点ですが、テキサス州のエネルギービジネス事業者に対する姿勢はとても前向きなのです。

例えば風力発電事業者の州への投資に対して、州が自ら環境調査をして発電に有用なエリアを割り出し、公的資金を投じて既存の電力網へ接続する送電線を敷設するなど、電力事業者にとってはまさに至れり尽くせりです。

時代は火力、水力、原子力に風力や太陽光などの再生可能エネルギーを組み合わせたエネルギーミックスへと進んでいます。さらに電力の自由化による自由競争のもと民間のエネルギー会社の競争力を適正な価格で事業を継続して行けるよう誘導することが州としては大事な政策となっています。

これによって、安価で安定した電力提供を行える基盤ができていて、これがテキサス州の隠された「テキサス・メリット」にもなっているのです。

第5章

若きリーダーは
テキサスから世界を目指せ！

自動運転から宇宙ロケットまで、
近未来が日常にあるテキサス。
この地はいずれ世界の最先端エリアになる。

中小企業も海外に突破口を求めている！

日本が、少子高齢化の時代に入ったといわれて久しくなります。若者の人口は減少の一途を辿り、経済を支える労働力も減っています。働いて稼ぐ人間が減れば、ものを買って消費する人間も減る。今後は縮小へと向かう日本です。生きていける会社と生きていけない会社が出てくるのは当然で、それは中小・零細企業に顕著に出てくるでしょう。

今後の日本の人口世帯数の減少等を考えれば、人口が多くてこれからも発展が見込める国や地域に市場参入の場を求めることは、経営者として当然の判断だと思います。

近年はテキサスにたくさんの企業や人がやってきており、私の出番（私は不動産業ですから）も多くなってきました。

そんな中で感じることは、日本企業の海外進出は大企業だけの話ではなくなってきた、ということです。私が米国にきた30数年前は、ジャパンバッシングさなかの時代で、企業の海外進出といえば大手企業の貿易摩擦解消が主な目的でした。

でも今では、「グローバル化」の一環として〝現地化〟を目指して中小企業が海を渡ってくることが多くなりました。もちろん産業分野にもよりますが日本国内の市場だけでは限界があるからなのでしょう。

日本人として大事なことは世界の中心で考えよ

米国に拠点を置く経営者の一人としての私的な視点ですが、日本の企業とアメリカの企業の根本的な違いは目指す市場の大きさ、つまり視野の大きさだと思います。

日本の企業の場合はどうしても日本の市場を起点にしてしまいがちです。でもアメリカの企業の視野には、はじめから世界が入っています。アップルもグーグルも始まりは小さなガレージですが、あっという間に世界に広がっていきました。

そして世界を視野に入れていると、たとえニッチな市場でも日本国内で考えるニッチ市場とはおそらく桁が二つ三つ違ってくることでしょう。

日本の人口は1億2600万人で、今後は漸減傾向です。アメリカの人口は3億2500万人、今後も増加傾向持続です。しかもその先はEUなどの巨大市場につながっています。

そういう意味で、企業の戦略思考をより「グローバル」に変えていくには、場所を変えて「世界の中心」でものごとを見る習慣が必要であり、その「地の利」を得るには、この数年の状況から見て、アメリカ。それも成長著しいテキサスが最適であると考えます。テキサスはどこよりも多くのヒト・モノ・カネが集まっているところだからです。

世界の中心となっていくテキサス

国の経済成長の基本は「ヒト」が第一。そして資源、特にエネルギーだと思っています。米国は今後も人口が増えていきますし、石油や天然ガスなどエネルギーは100％自給できる。これがアメリカが今後も成長していける大要因です。その米国の姿をそのまま表しているのがテキサスなのです。

■2016年７月からの１年間で人口増加が著しかった上位15都市に占めるテキサス州の都市

第１位	フリスコ（ダラス都市圏）
第２位	ニューブローンフェルズ（サンアントニオ都市圏）
第３位	フラッガービル（オースティン都市圏）
第６位	ジョージタウン（オースティン都市圏）
第９位	マッキニー（ダラス都市圏）
第11位	フラワーマウンド（ダラス都市圏）
第13位	シーダーパーク（オースティン都市圏）

上位３位までをテキサス州の都市が独占！

（2018年アメリカ国勢調査より）

２０１８年５月に発表されたアメリカの国勢調査によると、２０１６年７月から１年間で人口増加が著しかった上位15都市のうち約半分をテキサス州の都市が占める結果になっています（上図参照）。

また、テキサスの原油生産量はイランやイラクを上回るほどで、テキサス州だけでロシアとサウジアラビアに次ぐ世界３位の産出量のレベルです。

特に注目はシェールオイル層の開発で、州北部のパーミアン盆地での埋蔵量は現在既存の油田では最大規模のサウジアラビアのガワール油田に匹敵するともいわれています。これによってテキサスの石油の総生産量は２０１４年の日量２５０

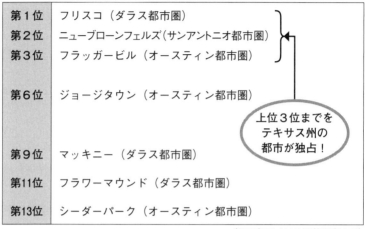

万バレルが、2019年には560万バレルに増大する見通しです。

これは米国の総生産量の半分以上を占めることになります。ちなみにイラクは日量約480万バレル、イランは300万バレルですから、テキサスの世界を引き付ける力がどのくらいなのか、すぐにご理解していただけると思います。

時代を作る頭脳と企業が集結！

ヒトが集まるということは単に「労働力」にかぎったことではありません。「知」の集積と蓄積がテキサスでは今後加速していく予感があります。

すでに述べたようにテキサス州のオースティンは別名「シリコンヒルズ」と呼ばれていて、数多くのハイテク企業を生み出してきた風土があります。

・テキサス大学の学生であったマイケル・デルがデル・コンピュータを設立

・IBMオースティンからのスピンオフとしてチボリ・システムズ設立

（チボリ・システムズは1995年にNASDAQに上場）

ベンチャー企業を生み出すのはシリコンバレーだけではありません。むしろシリコンバレーの地価と物価の上昇にともなって、第二、第三のシリコンバレーを目指してベンチャー企業を呼び込む動きが全米各州にありますが、その最先鋒がテキサス州オースティンなのです。

また時価総額100兆円を超える世界最大の小売企業アマゾンが、テキサス州内に物流拠点を9カ所配置していることなどはテキサスの戦略的価値を理解するのには好例だと思います。

ちなみに、アマゾンはオースティンが発祥の地であるホールフーズ（グロサリーストア）を買収しました(2017年)。アマゾンのホールフーズは現在テキサスで34店舗を展開中。コンビニの最大手、セブン‐イレブンの発祥地もダラスで、小売業の進化を目の当たりにできるのがテキサスなのです。

半分未来——自動運転からロケットまでもが日常

そして、すでにテキサスの街には自動運転の実証実験自動車が走り、２０２０年にはウーバーが〝空飛ぶタクシー〟をダラスで試験飛行して２０２３年に商用運行が始まる予定です。

これらにあわせてＩＴインフラも整備されていきます。第5世代移動通信システム「５Ｇ」（４Ｇにくらべて最大で40倍の通信速度を実現）の実証実験の舞台になっているテキサスの都市。アマゾンのドローン配送便が空を飛び、自動運転のクルマや空飛ぶタクシーで人が移動する姿が実現するのも、もうすぐです。

さらに夢の実現は、はるか宇宙へ。アマゾンのオーナーの一人、ジェフ・ベゾス氏率いる宇宙開発会社「ブルー・オリジン」は、テキサス州の西にあるベゾス氏所有の広大な牧場にエンジンやロケットの試験場を構え、ロケット開発の飛行試験を繰り返しています。

２０１５〜１６年には、打ち上げたロケットがもとの打ち上げ基地に帰ってくるロケット再利用実験が成功。

イーロン・マスクもそうですね。火星移住プロジェクトを打ち出し、ロケット開発を進めています。

＊マスクは、２０２２年に火星に向けた最初の無人ミッションを、２０２４年に初の有人ミッションを計画。

スペースＸ本社はカリフォルニア州ホーソーンにあり、ロケットの部品はカリフォルニアや他の場所で作られ、テキサス州のマクレガーというところで何度もテストしています。使用済みのロケットもマクレガーで再整備。さらにスペースＸは、南テキサスのボカ・チカという小さな村（メキシコの国境に近い米国最南端の場所）をロケット打ち上げの宇宙基地とする予定です。

ここは赤道に近く、赤道に近いほど地球の自転スピードが速く、軌道到達に必要な燃料が少なくて済む、など打ち上げにとても有利な場所なのだそうです。

時代の最先端企業が集積するテキサスはまさに世界的視野、いや宇宙的視野でものごとを考えるように仕向けられた場所といえます。

今、テキサスは〝半分未来〟。そんな空気感の中にいます。

これから大事になる「外向き」の日本人

2010年のノーベル化学賞を受賞されたアメリカ・パデュー大学特別教授の根岸英一先生が、記者会見のときにいった「日本は居心地のいい社会でしょうが、若者よ海外に出よ」という言葉が今でも耳に残っています。

最近は海外留学する学生さんが少なくなった、海外赴任を希望する人が少なくなった、という話をよく耳にします。内向きの日本人が増えているということでしょう。

ちなみに今、米国に日系企業の拠点がいくつあるか、ご存知ですか？

8606か所です。

米国で暮らしている日本人の数は？

42万6206人です。

（2018年10月　海外在留邦人数調査統計／外務省）

どちらも着実に増加してはいるのですが、おそらく中国をはじめとするアジアの国々のほうが増加数はもっともっと多いことでしょう。

近年はここテキサスで日本人が増えていることもあって、私のまわりは日本人だらけ(笑)なので、〝日本人の出不精〟については実はあまり実感がわかないのです。

でも、大企業も中小企業も、本物の「グローバル」な会社を志向していかねばならないご時世ですから、グローバルな人材獲得は必須条件。これからは「外向き」の人たちをどんどん増やさないといけませんね。

出でよ一歩踏み出す人々！

米国のビジネス社会でよく使われる言葉で、「コンフォート・ゾーン（comfort zone）を超えよ」という表現があります。

コンフォートゾーンとは、今の自分にとって心地よい状態の範囲ということですが、「コンフォート・ゾーンを超えよ」とは、あえてその心地よさから抜け出さないと自分の成長はないという意味で私はとらえています。先述した根岸先生の言葉も同じ意味でとらえています。

私がアメリカにきた30数年前は、当然インターネットなどない時代で、情報もなにもかも〝足〟を使って集めるしかない時代。不確かな情報も多く、アドバイスしてくれる人も少なかったですから手痛い損害を被ることもしばしば。それなりに苦労をした結果、今の私があります。

長間、培ってきた人脈は今では私の宝物となって私自身を助けてくれますし、私の友人を助けてくれもします。

インターネットのおかげでなにもかもが便利にフラットな社会になりましたが、いつの時代も大切なのはヒト。ヒトの和と信用・信頼。時代が変わっても場所が変わっても、ビジネスの基本はここにあります。

知って得する
ダラスコラム

ダラス日本人会が急拡大中！

米国トヨタ移転に伴い、関連企業の相次ぐ移転、そして新たな日本企業の進出を受けて、こうした企業の日本人駐在員が増えてきたからでしょう。「ダラス日本人会」の会員数が急増しています。

「ダラス日本人会」は私がダラスに住み始めた前年の１９８３年に設立されました。設立当時は、ダラスに進出していた日系企業の駐在員や、個人有志の方々が中心になり、名誉会員６名、正会員48社１６４世帯、個人会員33社、合計２０３世帯でスタートしました。

今年の会員名簿によると、会員数はなんと９４６世帯。会員企業数（正会員・賛助会員）は１４２社となっています。人も企業も年々増加はしてきましたが、会員数が急増したのは、やはり米国トヨタの移転が決まったころからが顕著です。

「ダラス日本人会」では毎月、広報部会より会報「Howdy ダラス！」が発行され、補習授業校運営から各種ビジネス関係セミナーやソフトボール大会、秋祭りなど豊富な活動内容が案内されていて、日本人の現地生活におけるサポート情報満載です。

※以下、ダラス日本人会ホームページより　企業会員　正会員（2018年度）一覧

セブン-イレブン・インク／アビームコンサルティング株式会社／アクレーテク アメリカ インク／アクティベイト テキサス／あいおいニッセイ同和損保アメリカ／アイシン・ワールド・コープ・オブ・アメリカ／クロスマーケティング グループ USA／クルーズハウジングコーポレーション／ダイワハウステキサス／デロイト & トウシュ LLP／デンソー　プロダクツ & サービス アメリカズ　インク／デンソー　テン　アメリカ　リミテッド／ダイアモンドリアルティインベストメンツ／アーンスト・アンド・ヤング／FDK AMERICA, INC.／不二工機　アメリカ／富士通ネットワーク　コミュニケーションズ／株式会社　阪急阪神エクスプレス／ハイスピード・レイルウェイ・テクノロジー・コンサルティング・コーポレーション／日立コンサルティング／日立ハイテクノロジーズアメリカ／インシュランス 110／アイリス USA／伊藤忠インターナショナル会社／日本航空株式会社／JTB USA, INC.／ジェイテクト オートモティブ テキサス／ケイラインロジスティックス株式会社／KDDI アメリカ／キー インターナショナル インク／紀伊國屋書店／近鉄グローバルIT／株式会社近鉄エクスプレス／KPMG LLP／クボタトラクターコーポレーション／クリタアメ

リカ／MARUBENI TRANSPORT SERVICE CORP.／マルヤマ U.S., INC.／大陽日酸株式会社／松下不動産／マツダ ノースアメリカン オペレーションズ／米国三菱商事／三菱UFJフィナンシャル・グループ／三井物産エアロスペース コーポレーション／三井物産ロジスティクス株式会社／三井住友海上火災保険株式会社／ミウラアメリカ／みずほ銀行／エムエムティーエム／商船三井ロジスティクス株式会社／NEC／米国日本通運株式会社 ダラス支店／西日本鉄道株式会社 国際物流事業本部 ダラス支店／ノムラ リサーチ インスティテュート IT ソリューションズ アメリカ／日本郵船株式会社／大橋&ホーン法律事務所／オキデータ アメリカス／オープンハウステキサス リアルティ & インベンストメンツ／オリックス コーポレーションUSA／オーバーヘッド ドアコーポレーション（三和シャッター工業株式会社）／パナソニックコーポレーションオブノースアメリカ／パソナ エヌエー／プレストンウッドパーク歯科医院／プライスウォーターハウスクーパース／プライムデリコーポレーション／プリモ マイクロホン／リーバンス コーポレーション／サンデンホールディングス株式会社／SCSK USA INC.／セキスイ スペシャルティー ケミカルズ アメリカ／損保ジャパン日本興亜株式会社／アメリカ住友林業株式会社／鈴木歯科／THE DELTA COMPANIES／トーハツ アメリカ コーポレーション／東京海上日動火災保険株式会社／東レ・コンポジットマテリアルズアメリカ社／トーヨー コットン ダラス／トヨタコネクティッド／トヨタ・インダストリーズ・コマーシャル・ファイナンス／トヨタモーター ノースアメリカ／豊田通商アメリカ／和魂リアルティ株式会社／米国ヤマト運輸／横河電機株式会社／米国郵船ロジスティクス株式会社

第6章

もし、高速鉄道がダラス起点で全米に開通したら

クルマ社会のアメリカで高速鉄道が都市を結ぶ。
日本の新幹線がもたらすインパクト。
それは、都市の新しい進化の形。
テキサス新幹線はその試金石になる。

アメリカ初の高速鉄道計画が意味すること

アメリカのテキサス州で高速鉄道計画が進んでいます。テキサス新幹線は全米の高速鉄道構想の中でも唯一の民間主導プロジェクトです。

民間の事業開発主体であるテキサス・セントラル・パートナーズ（Texas Central Partners, LLC）が２０１５年に７５００万ドルを調達し、日本の官民ファンド海外交通・都市開発事業支援機構（通称ＪＯＩＮ）が４０００万ドルの出資を決定し、国土交通大臣の許可を得ました。

２０１６年には日本側から技術協力を行うためのコンサルティング会社として、ＪＲ東海の子会社ハイスピード・レイルウェイ・コンサルティング・コーポレーション（HTeC）がダラスに設立されました。

テキサス・セントラル・パートナーズと業務提携し、日本の新幹線を作ろうとしているのです。２０１７年12月、米運輸省から環境評価でゴーサインが出たことを受け、２０２２年開業に向け本格始動しています。

沿線住民によるレビュー段階へと入り、新幹線の開通で、米国で都市間高速鉄道時代の幕がいよいよ開かれます。ダラス―ヒューストンの二大都市を結ぶことで90分都市圏（巨大商圏）が誕生します。

クルマ社会のアメリカで、はじめて高速鉄道で巨大都市が一つになる。このインパクトにアメリカ社会が気づいたとき、全米各地で近距離都市が結ばれることによる都市圏拡大（＝都市圏革命）が起きると私は考えています。

複数の都市が高速鉄道で結合することで巨大都市圏を生み、一つの都市から生まれるＧＤＰが相乗効果でより高いＧＤＰを生む。そんなストーリーです。

新幹線が北アメリカ初の高速鉄道に

２０１８年１月17日付の日本経済新聞を見てみましょう。

以下、日経新聞より。

「チャオ米運輸長官は16日、ワシントンを訪れた石井啓一国土交通相と会談した。日本側によると、チャオ氏はＪＲ東海が技術支援する南部テキサス州の新幹線計画について高く評価した。安全性などの面で日本の新幹線には米国の関心も高い。石井氏も『日米のインフラ協力の象徴的な計画としてしっかり支援していきたい』と述べた。

テキサス州の新幹線はヒューストンとダラスを結ぶ民間主導の計画。米運輸省が２０１7年12月に環境評価でゴーサインを出し、計画主体の企業が資金調達を経て19年の着工をめざしている。

一方、国交省は同日、ワシントンでインフラ開発について産官学で話し合う「日米インフラフォーラム」を開いた。石井氏は演説で『インフラの老朽化は日米共通の課題で両国の知見を生かしたい』と強調した。チャオ氏は『日米で対話を続けていきたい』と語った。

トランプ政権は官民で今後10年で１兆ドル（約１１０兆円）を投じるインフラ計画を掲げている。近く具体策を公表する見通しで、日本企業にも商機が広がるとの期待がある。」

次に、2018年9月4日付の読売新聞によると、こう書かれています。

「米テキサス州の高速鉄道計画（テキサス新幹線）を巡り、JR東海は3日、日立製作所や三菱重工業など計5社で作る日本企業連合で、車両や電力・信号設備といった中核システムの受注を目指すと発表した。

日本連合には日本電気（NEC）と東芝子会社の東芝インフラシステムズも参加し、受注に向けた協議をすでに始めている。JR東海は8月29日付で、走行試験や要員養成などを担う子会社「HInC（エイチインク）」をダラスに設立した。

（中略）

テキサス新幹線はダラス―ヒューストン間（約385キロ・メートル）を東海道新幹線の主力車両の海外仕様『N700系』を走らせ1時間半以内で結ぶ計画。米事業主体は19年着工を目指している。」

トランプ米大統領が公約として打ち出したインフラ投資。その計画について「実際にはおそらく、1兆7000億ドル程度になるだろう」と語っています。ロイターによると500億ドルは高速列車を含む「変革」プロジェクトなどに拠出されるとのこと。こういった話を聞くと、いよいよテキサス新幹線が実現へと具体性を増してきたと感じるのです。

日本の技術がテキサスと日本をつなぐ

このテキサス州の新幹線はヒューストンとダラスを結ぶ計画です。2022年の開業を目指し、全長約240マイル（約385キロメートル）を、わずか90分で新幹線がつなぐ、夢のプロジェクトが着々と進行しています。

このテキサス州の新幹線は日本の「JR東海」が技術支援します（2016年5月、ダラス市に子会社を設立）。車両については、東海道・山陽新幹線に投入されている「N700系」をベースにした「N700 - I Bullet」が導入される予定です。「I」は「インターナショナル」の頭文字です。JR東海が「N700系」をベースに海外展開を行っていく車両の総称でもあるため、同車の新世代車両「N700S」の最新技術が、テキサス新幹線にも搭載されることになるでしょう。

■大村愛知県知事と著者（倉石）

　こうした民間の動きに合わせて、2018年5月、大村秀章愛知県知事が米国のテキサス州を訪れました。
　JR東海が技術支援する高速鉄道プロジェクトのターミナル予定地を視察し、北米トヨタ本社やダラスの商工会議所を訪問したと地元メディアで報じられました。さらに日本テキサス経済サミットにも出席。基調講演を行い、経済交流を後押ししたとのことです。
　大村知事は「愛知県は輸出型の製造業が集積している。今回の渡航により交流のパイプを太くしたい」と話しています。
　新幹線は都市と都市をつなぐだけでなく、日本とテキサスをつないでいくことになるのです。

高い「コスト対効果」はテキサスだからこそ可能に

時速330キロメートルの速度で、ダラスとヒューストンを90分で結ぶ同車両は30分間隔で8両編成の列車を走らせます。

経済成長著しいテキサス州ですから、この距離をわずか90分で行き来できるメリットはビジネス的な観点から見ても、とても大きなものとなるでしょう。安全性などの面でも日本の新幹線はアメリカから高い関心を得ており、石井啓一国土交通大臣も「日米のインフラ協力の象徴的な計画としてしっかり支援していきたい」と述べています。

また、シドニー大学社会学教授のサルバトーレ・バボネズ氏は、テキサスの地の利に注目しています。

日本は「東京―新大阪間」(552キロメートル)を最短2時間22分で運行していますが、これでも、日本は山が多いため、カーブやトンネルの影響で減速を強いられています。一方で、テキサス州は広大な大地が広がるため、減速によるロスが少ない利点があります。

アメリカではニューヨーク周辺でのリニア計画も存在しますが、過密した都市部を避けるためにトンネル掘削が必要となるため、コストがかかるのが難点です。こうして考えると、投資対効果もテキサス州が最高に高いといえましょう。

※ＪＲ東海では、「N700 - I Bullet」「SCMAGLEV」と称する高速鉄道システムを海外市場に提案しています。「N700 - I Bullet」は、Ｎ７００系車両を中心とする東海道新幹線型のトータルシステムです。また、「SCMAGLEV」は、ＪＲ東海が５００㎞／ｈという高速で営業運転ができる技術にまで完成させた超電導リニアシステムです。

現在、「N700 - I Bullet」については米国テキサス州ダラス―ヒューストン、「SCMAGLEV」については同国のワシントンD.C.―ニューヨーク間を結ぶ北東回廊を対象路線として積極的にマーケティング活動を進めています。

※出所：ＪＲ東海旅客鉄道株式会社

ダラスとヒューストンの新幹線駅はどこにできる？

ダラスとヒューストン間の約240マイル（約385キロメートル）を約90分で結ぶテキサス新幹線。そのダラス新駅が、ダラスのダウンタウン南に建設されます。テキサス新幹線のダラス新駅は、ダラスのダウンタウンと郊外を結ぶ鉄道DART（Dallas Area Rapid Transit）のコンベンションセンター（Convention Center）駅とつながる予定ですので、そこからダラス・フォートワース国際空港（DFW Airport）はじめダラス都市圏各地に移動することが可能です。

私のダラスでのお気に入りレストラン「ファイブ・シックスティ（FIVE SIXTY）」からもダラス新駅はよく見えることでしょう。

一方ヒューストン新駅は、ヒューストンのダウンタウンから北西へ約7マイル（約11キロメートル）にあるノースウエスト・モール（Northwest Mall）跡地に建設されます。

テキサス新幹線のヒューストン新駅は、ヒューストンを代表するショッピングモールのザ・ガレリア（The Galleria）やシェル（Shell Oil Company）などエネルギー関連会社が集中するエネルギー回廊（Energy Corridor）、医療センター（Medical Center）、そしてダウンタウンに近く、ノースウエスト（NORTHWEST）駅から地元の交通網との接続が便利です。

また、途中駅は1カ所のみの予定です。ダラスから約60分、ヒューストンから約30分のブラゾスバレー（Brazos Valley）（37ページ図参照）というところに建設されます。

テキサス新幹線のブラゾスバレー新駅はテキサスA&M大学（Texas A&M University）から東に27マイル（約43キロメートル）のところにできます。

テキサスA&M大学はテキサス州最古の高等教育機関で、5500エーカー（約22平方キロメートル）のキャンパスは全米最大規模。学生数も約7万人と、セントラルフロリダ大学（University of Central Florida）の6万人をしのいで、全米第1位です。

テキサス新幹線の途中駅ができることで、テキサスA&M大学があるカレッジステーション（College Station）周辺の地域開発がどのように進んでいくのか。こちらも注目したいところです。

高速鉄道駅を軸とした街づくりはアメリカでこれまでなかったことで、日本の街づくりのノウハウを活かせるまたとないチャンスなのです。

自動車に対しては、渋滞問題を高速鉄道で解決

ヒューストン―ダラスが90分で結ばれると、どんなメリットがあるのでしょうか？

まずは、現在ヒューストンからダラスに行くルートを確認してみましょう。これには二つの方法があります。一つ目は、クルマで行く場合です。

ヒューストン（ダウンタウン）からダラス（ダウンタウン）までは、高速道路を使って、仮に渋滞がなかったとしても4時間程度はかかる距離です。

これがヒューストン、ダラス両都市の将来の人口増によって、２０５０年にはクルマ移動で6時間かかると予想されています（Houston Chronicle電子版の記事 Texas high speed rail passes major milestone with first fundraising announcementより）。

それが新幹線ならわずか90分で移動できるとしたらどうでしょう。

新幹線によるヒトの移動はひとことでいえば〝安定〟しています。日本の新幹線より速度が早い鉄道はほかの国にもありますが、日本の新幹線にしかないものがあります。それ

は正確性と安全性です。

秒単位で管理される緻密で正確な運行システム、1964年の開業以来、死亡事故がないという安全性が、90分という移動時間の短縮メリットとセットで手に入るのです。

しかも都市の拡大で確実視される渋滞とそれに伴う時間ロス、エネルギーロス、環境汚染などの弊害を、新幹線が前倒しで解決してくれます。

ビジネスでも日帰りが当たり前になるので、ダラス、ヒューストン両市にとって、より身近で隣町感覚でビジネスができる地域となることでしょう。経済も熱を帯びてくることが予測できます。

対飛行機では実質的な時短は鉄道が有利

次に、もう一つの交通手段を見てみましょう。それは、飛行機です。

二つの都市の間では、テキサス州のLCCであるサウスウエスト航空が1時間に1便のペースで定期便を飛ばしています。朝夕のピーク時には30分に1便という過密さです。フライト時間は約1時間。

これだけ見ると、飛行機のほうが早いと思うかもしれませんが、それは大きな間違いです。日本でもそうですが、飛行機に乗るにはいくつかのハードルがあります。セキュリティチェックのため出発時間より1時間あるいは1時間半早めに空港に着いておく必要があります。

このように空港に着いて、登場手続きをして、飛行機の搭乗口が締まるまでの時間と飛行中の時間、そして着いた空港で到着ロビーに出てくるまでの時間はあわせて2時間から2時間半。

搭乗手続きから到着ロビーまでの時間、改札から改札までの時間、人の移動について実質的に考えると、どちらが時間をかけずに、しかも時間も正確に移動できるか。テキサス新幹線が開業した後、テキサスの多くの人がその快適性を実感することでしょう。

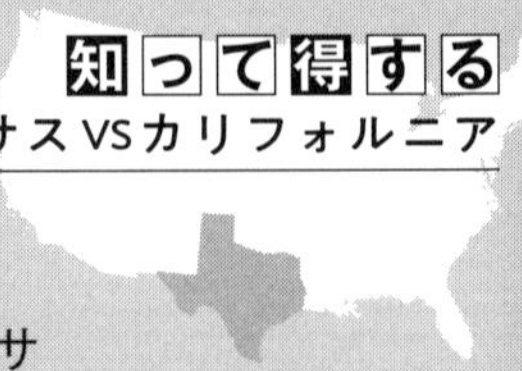

テキサスとカリフォルニアの高速鉄道の違い

テキサス・セントラル・パートナーズ（Texas Central Partners, LLC）によるテキサス新幹線とカリフォルニア高速鉄道の比較をしてみましょう。

119ページのコラムで触れたように、テキサスは民間主導でカリフォルニアは行政主導が常識です。テキサス新幹線の建設には税金を使いませんが、カリフォルニア高速鉄道はほぼ税金で賄われます。つまり、テキサス新幹線のリスクは投資家や金融機関がとりますが、カリフォルニア高速鉄道は税金を納める州民が負うことになります。

カリフォルニア高速鉄道の路線距離はサンフランシスコ—ロサンゼルス／アナハイムの５２０マイル（約８３７キロメートル）と、テキサス新幹線（２４０マイル）の約２・２倍ですが、建設費はテキサス新幹線の１２０億ドルに対してカリフォルニア高速鉄道は６４０億ドルと５・３倍です。

カリフォルニア高速鉄道は２０３３年開通を目指していますが、財政難のカリフォルニア州政府から建設費の捻出は困難ですし、現在の反トランプのカリフォルニアに連邦政府がどこまで協力するかは疑問が残ります。

アメリカで高速鉄道は根付くのか

アメリカでは、これまで都市間を高速鉄道でつなぐという計画はなかったのでしょうか？実は計画がなかったわけではありません。鉄道網の計画としては、２００９年に就任したオバマ大統領は、環境重視の政策を打ち出し、その一環として環境負荷の少ない鉄道を整備していく計画がありました。

ただ、新幹線のように既存の路線とは独立した鉄道として計画されていたのはカリフォルニアとテキサスの二つだけで、これが今に至っているという形です。

そして、そもそもクルマ利用が生活常識のアメリカで、高速鉄道は受け入れられるのでしょうか？

この問いに答えを求めるとすれば、新幹線による移動の快適性から考えれば答えは間違いなくＹＥＳでしょう。安心・安全・快適な時間と空間が約束されるのですから。

ただ、ヒトの移動はドアtoドアで完結しますから、新幹線の駅までの、そして新幹線の駅からの移動手段を含めた〝総合判定〟で決まると思います。

新幹線の役割は都市間交通の範囲で、〝都市内交通〟はまた別です。ここに公共交通（地下鉄、バス、路面電車など）やタクシー、彼らを凌駕するウーバーなどのライドシェア（最近は自転車のシェアも）。そして近い将来は空飛ぶタクシー。旧来のそして新手のプレーヤーが都市の〝質〟＝利便性を担うわけです。

別の言い方をすれば、都市内交通の進化がなければ、人口が増えて膨張する都市の交通問題は解決しないということです。また、渋滞という動脈硬化の持病を持ち続ける高速道路に変わる都市間の円滑な移動手段がなければ、都市成長による都市力の相乗効果を引き出せません。

新幹線と都市内交通は一心同体のようなもので、どちらが欠けても都市の未来は見えないですし、高速鉄道がアメリカ社会に定着するかどうかも、ここにかかっているといえるでしょう。

そうした意味でテキサス新幹線は、今後のアメリカの都市開発への試金石となることは間違いないのです。

シェア文化が高速鉄道時代を呼び込む！

２０２２年にテキサス新幹線が開業したあと数年たって、その経済効果が実証されたら、高速鉄道は全米に広まっていくだろうか？

そのころは大統領が代わっていて、新政権のもと環境問題やエネルギー問題などの基本政策がガラッと変わっているかもしれません。そんな不透明な中であえて、新幹線をはじめとする高速鉄道とアメリカの未来について考えておきたいと思います。

この先アメリカの大統領が代わっても、景気が変わっても、変わらないのは都市への人口集中でしょう。

※２０５０年頃には世界人口１００億人のうち68％が都市部に住むと予測されていています。１９５０年は同30％。（国連／世界人口予測２０１７年版）

都市への人口集中度が進むことで、大都市の中にはいずれ現在のクルマ社会を維持することが困難なところが出てくることでしょう。

こうした大都市では、中心地に住む人ほどクルマの所有よりもシェアするほうにライフスタイルを変えていきます。

シェア型交通手段での移動範囲は、車を所有していた頃の移動範囲にくらべると狭くなる傾向がありますので、都市と都市の中長距離移動は別の手段、すなわち高速鉄道に変わっていくというストーリーです。

現代でいうと飛行機を使っての移動がこのパターンで、現地に到着するとレンタカーやタクシーを使うというパターンです。

そして飛行機と高速鉄道の使い分けが当たり前になれば、高速鉄道が全米に認知されるようになるでしょう。シェア文化が都市の生活スタイルを変えること、高速鉄道に接続するための都市内交通（公共交通やシェア型の交通手段）のシステムを整えること、これが高速鉄道の認知に必要なことと考えています。

もし、新幹線がダラス起点で全米に開通したら？

最後にちょっと大胆な予測をさせてください。

本書で何度も指摘しているように、ダラスはアメリカのへそに当たる位置にあり、全米の都市に行くにはちょうどいい位置にあります。たとえていえば、扇の要の位置です。

このダラスから全米の主要都市が新幹線でつながったとしたら……。

アメリカは広いですから、乗っている時間は2～3時間ではすみません。ダラスとニューヨーク間は直線距離でも２２００キロありますから、それこそ10時間以上は乗っていることになるでしょう。

そういう時間はさておき、つながるという意味で大きな意味があると思います。現在のアメリカのクルマ社会は、１９５６年、アイゼンハワー米大統領が州間高速道路網建設に着手したことから本格化します。

これは当時にしても今でも巨大プロジェクトで、こうしたインフラ投資は経済振興とともに国の活力を盛り上げます。

時は現代。

トランプ大統領の公約にあるインフラ投資1兆５０００億ドルが高速道路の再整備ではなく、高速鉄道網建設に使われたとしたら、世界最大の二酸化炭素排出国のアメリカは、一転して環境先進国として大変身するかもしれません。

シェールガスのおかげでアメリカのエネルギー資源保有量は格段に上がりましたが、化石燃料はあくまで有限で無限ではありません。化石燃料の温存はいずれ政策上にのぼってくるでしょうし、そうなれば当然、道路から鉄道への投資にシフトが進み、地上からは自家用車とトラックの数が減っていくはずです。

その間にも都市はＩＴとＡＩによる高度なスマートシティ化が進み、こうしたスマートシティを再生可能エネルギー活用の高速鉄道がつないでいく。

もし、新幹線がダラス起点で全米に展開している時代が来るとしたら、そんな未来になっているのではないか。そんなことが思い浮かびます。

未来生活研究所の所長であり、エコライフ研究所の所長でもあり、環境ジャーナリストの私（中野博）としては、今後テキサスを起点に新幹線が全米に広がり、新しいスマートシティの実現にも参加できること、さらには日本の技術がアメリカから世界に広がることを夢見ています。

いや、今後の実践計画としても。

おわりに

私は共著者の中野博（以下、塾長）と7年来の付き合いになりますが、塾長の「和魂洋才」の學問を礎として、清く正しく美しく生きる人々が、自由の翼を手に入れて、世界で活躍できるように育成し、世界を牽引して行こうという理念に賛同し、２０１４年４月に塾長が東京の本校開設以来、海外で初めて開校した信和義塾大學校（以下、信和義塾）ロサンゼルス校の第１期生となりました。

ちなみに、和魂洋才とは三省堂『新明解四字熟語辞典』によると、日本古来の精神を大切にしつつ、西洋からの優れた学問・知識・技術などを摂取・活用し、両者を調和・発展させていくという意味で、今では私の一番好きな言葉になっています。

現在、私は信和義塾ロサンゼルス校とダラス校の校長を仰せつかっていますが、信和義塾では東洋の叡智からなる「帝王學」を中心に多くのことを學ぶことができ、年に2回のペースで開催される、国際交流を兼ねた塾生交流の場である信和義塾サミットに参加できます。

同サミットは今までに、出雲大社（島根）・太宰府天満宮（福岡）・彦根城（滋賀）・伊勢神宮（三重）・ロサンゼルス・山王日枝神社（東京）・パタヤ（タイ）・熱田神宮（愛知）にて開催され、今後はジャイプール（インド）やダラスにて開催される予定です。

また、塾長は世界最古の『易経』をベースにした人間関係統計学「ナインコード」を開発し、私もナインコード認定講師の資格を取得し、世の中から人間関係の争いごとを少しでも減らすべく、「ナインコード」にある9種類のタイプに基づいて行動し、経営者の方を含めたくさんの方にアドバイスをしています。

さらに、ナインコードのバイオリズムに沿って、今後どの年に何をすべきか（未来思考）も考えるようになりました。

思い返せば、この4年半余りの間に、私は自身の天命を見出すことができたのです。

そのきっかけである塾長とは同じ7月29日が誕生日で、塾長から我々は七福神「しち（7）ふ（2）く（9）」人で、生まれながらにして幸運なんですよといわれました。

その幸運な者同士で「ガイアの五黄」の私と「火の九紫」の塾長が手（筆）を取りあって完成させたのが本書です。

私は1984年、ロサンゼルス・オリンピックの年に地政学的な観点から、ダラスの大学院に留学しました。

当時のダラスではスーツにカウボーイ・ブーツや大きなベルト・バックルが普通で、私もそんな出で立ちで日本へ帰国して好奇の目で見られたこともありました。ちなみに今ではよほど田舎へ行かないとそのような出で立ちの人は見なくなったので、だいぶグローバル化が進んだことを実感します。

テキサスは大手不動産デベロッパー発祥の地で、米国不動産デベロッパーの業界ランキングで常に1位、2位を争っているトラメル・クロウはダラス、ハインズはヒューストンの会社です。

日本でいえば三井不動産と三菱地所といったところでしょうか。

そこで日本から不動産や建設業の方たちが頻繁にダラスの不動産会社へ訪問に来られ、私は何度か通訳をさせていただきました。そのことを通して日米の大手不動産会社のトップクラスの方々と面識を持つことができたのです。

私の父は一級建築士で、10年前までは管理建築士として私の関連会社にて一級建築士事務所を管理していました。子供の頃はずっと製図台に向かう父の後ろ姿を見ながら育ったためか、建物や不動産には元々興味があったので、大学院卒業後は米国三井不動産販売（以下、三井）へ就職しました。

三井では主に米国商業不動産の小口化商品を日本の投資家向けに販売し、案件の評価・取得・開発・ファイナンス・管理業務に関わり、会社として総額約200億ドル分の不動産を証券化しました。

そして米国最高峰の認定不動産投資顧問資格CCIMを取得しました。日本では2013年にCCIM JAPANが日本支部として正式に承認されたそうです。

私はテキサスを舞台に、日本人の和の心（和魂）を伝える第一人者として【ヒト・モノ・カネをテキサスへ】というブログ(ameblo.jp/relaken)を毎日欠かさず更新し続けています。自身の天命を果たす過程で、私はダラス経済圏に日本のコミュニティを作り、その中に自身の出身地である長野市の善光寺別院を建立する計画です。

善光寺は大化の改新前年の644年に創建されたとされ、日本において仏教が諸宗派に分かれる前からの寺院であることから、誰でもお参りできる無宗派のお寺です。

善光寺徳行坊の若麻績住職は信州大学教育学部附属長野中学校での同級生で、彼の力でこの計画が実現されます。

善光寺ダラス別院では春夏秋冬の祭りや、信和義塾そして茶道・華道・書道・武道などを通して「和魂洋才」をダラスから全米に発信し続けてまいります。

トヨタをはじめ多くの企業がアメリカの中で最も注目しているテキサス州のダラス経済圏。そしてダラスとヒューストンが新幹線で結ばれることで、この二つの大経済圏を有するテキサス州は、アメリカを牽引する新たな南部経済圏としてこれからますます発展していきます。

この本を手に取っていただいた方には、拡大を続けるこのテキサスという巨大な新市場でチャンスをつかみ、アメリカン・ドリームをぜひとも実現していただきたいと、心から願っています。

そして信和義塾の「帝王學」の教えにもある、天地人三才（天の時・地の利・人の和）

によって、「皆が幸せになれる世の中をともに実現していければ」との念いを込めて、筆を擱かせていただきます。

Wakon Realty Inc.（和魂リアルティ株式会社）ＣＥＯ　倉石　ルーク　灯

本書にご協力いただいた方々（五十音順）

Branch Chuck（テキサス州マッキニー市 市会議員）
Carrington 純子（ダラス日本人会 事務局員）
Ghrist Ian（GHRIST LAW 弁護士）
Kaji 佳織（Triority Inc. 副社長）
LaRosiliere Harry（テキサス州プレイノ市 市長）
Lee Christine（CR8 Innovations LLC プリンシパル）
Rosa Mike（ダラス商工会議所 シニアバイスプレジデント）
秋山 政由（株式会社ＭＴＡ代表取締役）
飯田 隆（カリフォルニア州倫理法人会 会長）
井沢 真吾（優塾ＵＳＡ社長）
磯村 安倫（株式会社11ネット・インシュアランス 代表取締役）
稲葉 良一（トヨタ自動車 元副社長）
猪俣 淳（CCIM JAPAN 会長）
岩崎 くるみ（Kurumi, LLC オーナーシェフ）
内田 文朗（一般社団法人 倫理研究所 常任理事）
内山 雅仁（One-Ten Capital Texas Inc. ジェネラルマネージャー）
姥 一（Kula Sushi USA, Inc 社長）
大谷 マイク（JBBQA America, LLC 社長兼CBO〈最高BBQ責任者〉）
大村 秀章（愛知県 知事）
岡部 芳典（東急リバブル株式会社 専務執行役員）
小川 泉（WPC Treatment Co., Inc. 社長）
大下 信雄（Toyo Cotton Co., Dallas 社長）
海部 優子（ジャパン・ハウス ロサンゼルス事務局 館長）
角内 創（アメリカンファンディング株式会社 代表取締役）
金山 弘（株式会社カナヤマコーポレーション 代表取締役）
加納 滋徳（株式会社アイ・ラーニング 社長）
岸 弓乃（株式会社フードリーム 代表取締役）
木島 洋嗣（アメリカ地方都市研究所 所長）
倉石 厚（有限会社アルカリ 代表取締役）
黒川 淳二（日本貿易振興機構〈ジェトロ〉ヒューストン事務所 前所長）
小岩 智子（TSL Accounting Services, Inc. 公認会計士）

小菅　翔太（優塾ＵＳＡ講師）
後藤　英彦（元時事通信社 コラムニスト）
小林　美春（株式会社サン・インターナショナル 代表取締役）
小林　龍人（墨筆士）
齋藤　茂樹（エス・アイ・ピー株式会社 代表取締役社長）
坂井　規孝（プレイノ在住 歯科技工士）
坂井　良美（プレイノ在住 主婦）
坂本　健二（アウグスビール株式会社 代表取締役）
坂本　洋平（一般社団法人 日本伝統技術インストラクター協会 代表理事）
佐喜眞　淳（沖縄県宜野湾市 前市長）
櫻井　貞一（Tei-an〈貞庵〉オーナー）
修行　憲一（株式会社ソーシャル・スコア・ストラテジー 代表取締役）
杉田　庄司（日本アイルキャピタル株式会社 代表取締役社長）
杉原　充拡（プレイノ情報【プレナビ】主催者）
鈴木　和幸（有限会社 北見ボールト商会 代表取締役）
鈴木　秀緒（Cisco Housing Solutions, Inc. 最高経営責任者）
角南　浩靖（High-Speed-Railway Technology Consulting Corporation バイスプレジデント）
高橋　信介（米国ＮＥＣ会長）
高橋　寿彦（マッキニー在住 シェフ）
高松　貴久江（Preston Royal Clinic Secretary）
高柳　直人（米国ＮＥＣ戦略企画室 ダイレクター）
宝田　翼（Yama Izakaya & Sushi パートナー）
宝田　豊（ノーステキサス日本語バプテスト教会 対外宣教牧師）
瀧本　憲治（maneo マーケット株式会社 代表取締役）
田知本　史朗（Toyota Motor North America, Inc. Advisor Corporate Communications）
館野　茂和（Yama Izakaya & Sushi オーナー）
田中　一幸（Next Global Inc. 社長）
田中　友人（公認会計士&不動産鑑定士）
千葉　明（在ロサンゼルス日本国総領事館 総領事）
土田　尚吾（東急リバブル・テキサス・インベストメント・アドバイザーズＬＬＣ社長）
東條　英利（一般社団法人 国際教養振興協会 代表理事）
内藤　俊一（SBD Group, Inc. 社長）
内藤　ロバート（New Gardena Hotel ジェネラルマネージャー）
長尾　高士（株式会社PLEAST〈プレスト〉代表取締役）
中田　章文（Nomura Research Institute IT Solutions America, Inc. 社長）
新田　茂樹（株式会社ゴクー エディター）

服部　将充（Marukai Corporation 代表取締役社長）
比嘉　輝雄（SCS Global Professionals, LLP マネージングディレクター）
菱田　直樹（U.S. Japan Publication N.Y. Inc. ジェネラルマネージャー）
廣崎　利洋（ASK HOLDINGS 株式会社 代表取締役）
深代　律雄（株式会社 日本保証 取締役執行役員）
福島　秀樹（A&K合同会社 代表社員）
福田　陽介（Y'S KITCHEN ダイレクター）
藤尾　益造（株式会社 神明 取締役）
藤本　吉朗（JTB USA, Inc. ダラス営業所長）
本田　健（アイウエオフィス 作家）
本田　直之（レバレッジコンサルティング株式会社 代表取締役社長）
前川　治（Coo International, LLC 商号 En(艶) Japanese Cuisine オーナーシェフ）
益田　典彦（麺友会〈麺類好きの為のFBコミュニティー〉会長）
増田　義彦（富士通フロンテック株式会社 経営執行役常務）
松　秀二郎（Seiwa Market 会長）
松本　哲治（沖縄県浦添市 市長）
丸尾　孝俊（PT.PASTI INDAH INDONESIA アニキ）
丸山　敏秋（一般社団法人 倫理研究所 理事長）
三戸　宗一郎（株式会社マイマイHD代表取締役社長）
湊　悠之助（Mr. Sushi オーナー）
宮本　雅之（宮本農業 代表）
森　辰雄（Weekly LALALA, LLC 社長）
森　大輔（Triority Inc. 社長）
森岡　薫（プレイノ在住 寿司職人）
森田　シェーン（Ozone Strategy Inc. 最高経営責任者）
矢田　秀次（日本ランドネットワーク株式会社 取締役）
薮田　知生（株式会社キュービィクラブ 常務取締役）
山崎　宅哉（Toyota Motor North America, Inc. Executive Advisor）
山手　健太郎（Ken Japanese Bistro オーナーシェフ）
山本　明美（株式会社アスク・ホールディングス 代表取締役社長）
吉田　潤喜（ヨシダグループ 会長）
米田　昭正（近鉄グループホールディングス株式会社 取締役常務執行役員）
若麻績　敬史（善光寺 責任役員／徳行坊 住職）
脇田　勝利（株式会社ドリームマーケティング 代表取締役）
脇田　健（Daiwa House Texas Inc. 社長）

テキサス州の基礎知識

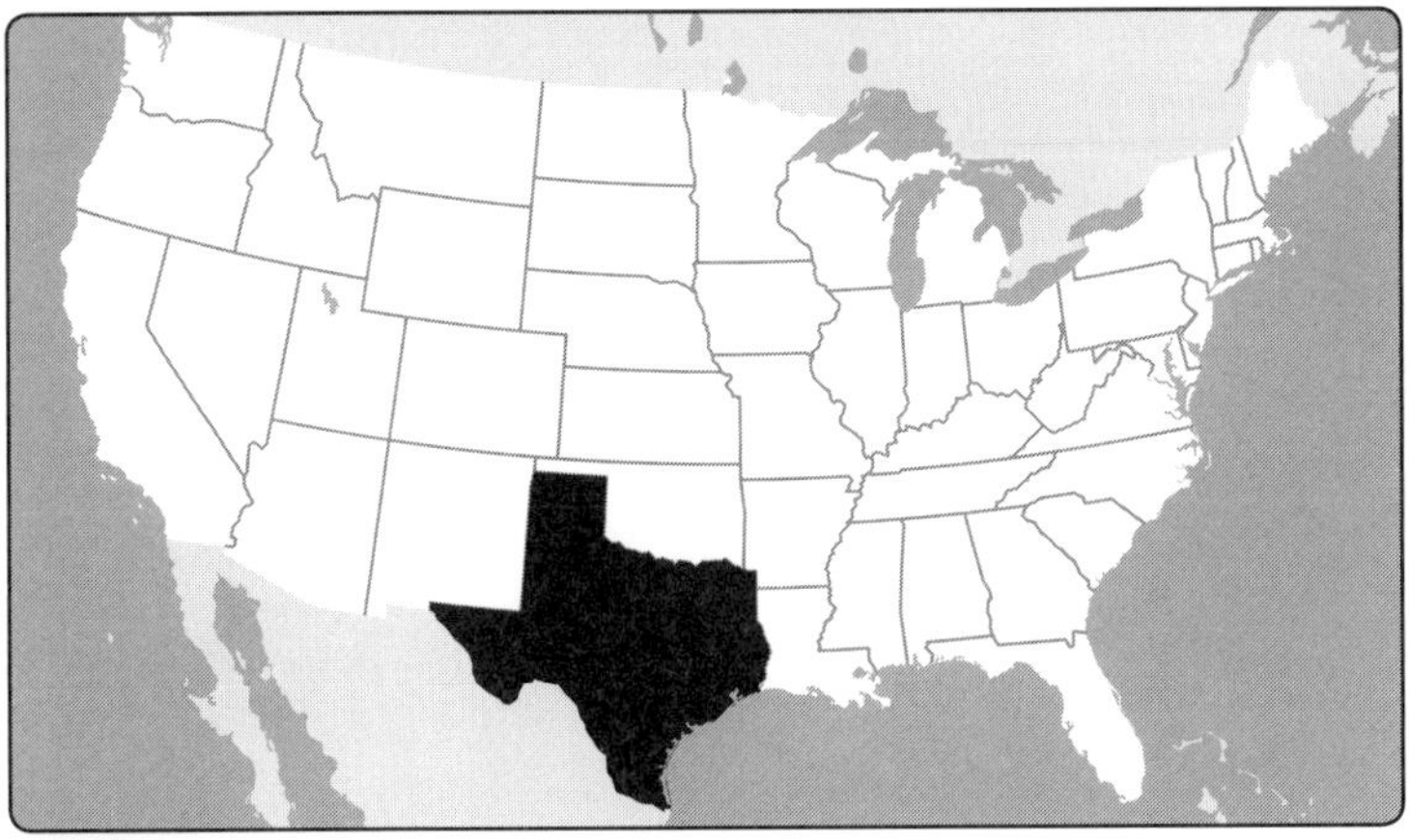

名称

テキサス州（Texas）

略号

TX

州都：**オースティン（Austin）**

最大都市：**ヒューストン（Houston）**

最大都市圏：**ダラス・フォートワース（Dallas-Fort Worth）**

合衆国加入：**1845年12月29日**（米国内で28番目）

面積：**69万6241平方キロ**（全米第2位。1位はアラスカ州）

人口：**2830万4596人**（2017年米国公式人口推計）

ウェブサイト：**https://texas.gov/**

数字で見る北テキサス

北テキサスとは、ダラス、フォートワース、アーリントン都市圏をいう
（13郡　150＋市　9000平方マイル　人口740万人）
全米4位の大都市圏

博物館数
124

ダラス・フォートワース（DFW）国際空港の平均滞在時間
16.20分

大学の数
33

パブリック&プライベートゴルフコース
180以上

公園数
2000
（延べ9万4700エーカー）

モールまたはセンター数
27
（延べ100万平方フィート以上）

湖及び貯水池の数
60
（延べ55万0500エーカー）

自転車・歩行者専用道路
1000マイル

住民の年齢中央値
37.5歳

州立公園数
60
（北テキサスから100マイル以内）

年間の晴天・一部晴れの日数
234日

住宅価格の中央値
24万7000ドル
（米国トップ20都市の下位順位7位）

年間訪問者数

4890万人

地域のワイン醸造所数

61

地域のビール醸造所数

53

北テキサスの主なプロスポーツチーム

- **ダラス・カウボーイズ**（NFL）
- **ダラス・マーベリックス**（NBA）
- **ダラス・スターズ**（NHL）
- **FCダラス**（MLS）
- **テキサス・レンジャーズ**（MLB）

北テキサスの経済数字

GDP

5116億ドル

対テキサス州GDP

30%

米国内成長率

4位

雇用成長率

2.8%

（全米平均1.5%）

人口10万人以上の都市

15市

金融関連の労働人口

27万1380人

連邦準備銀行
11番目
の本部

賃貸オフィススペース
2億8800
万平方フィート

製造業の
GDP
599
億ドル

輸送及び
倉庫のGDP
170
億ドル

DFW国際空港の
航空貨物量
86万
6304トン

テキサス州の鉄道距離
1万4361マイル
（全米2位）

天然ガス生産
9兆立方フィート
（バーネット・シェールからのこれまでの推定天然ガス）

航空宇宙及び軍需会社
900社

DFW国際空港の発着便数
世界4位

DFW国際空港の年間旅客数
6630万人

DFW国際空港
7本（滑走路）
5（ターミナル数）
165（ゲート数）

（「PROFILE OF NORTH TEXAS 2018」 NORTH TEXAS COMMISSIONより）

倉石　灯（くらいし　あかり）
ルーク倉石。和魂リアルティ株式会社CEO。長野県出身。防衛大学校管理学部卒業。1984年、渡米。ダラス大経営大学院卒業（MBA取得）。1987年、米国三井不動産販売株式会社入社。同社副社長兼ブローカーオフィサーを務める。十数年の在職中には、主に米国商業不動産の小口化商品を日本の投資家向けに販売し、会社として総額約200億ドル分の不動産を証券化。1997年、米国最高峰の認定不動産投資顧問資格CCIM取得。同社退職後、日米で十数社の役員を務め、自らが代表取締役を務める会社を株式公開。テキサスで不動産のアセットマネジメント等、商業不動産投資専門家として活躍し、和の心（和魂）を伝える。共著書に『資産家たちはなぜ今、テキサスを買い始めたのか？』（ぱる出版）がある。

中野　博（なかの　ひろし）
作家兼実業家。愛知県出身。早稲田大学商学部卒業。デンソー入社後、ジャーナリストとして活躍。1997年にてエコライフ研究所設立。その後、ゴクー、未来生活研究所を設立し、代表取締役に就任。現在も３社の経営に当たる。2011年から「信和義塾大學校」を創設し、アメリカ、カナダ、タイなど世界各地で和魂洋才を教える。テキサスにも５年ほど前から注目して取材を開始、２年前に開校した。著作は『“強運を呼ぶ”9code（ナインコード）占い』（ダイヤモンド社）や「信和義塾シリーズ」（現代書林）など。本書が32冊目。

なぜ、トヨタはテキサスに拠点《きょてん》を移《うつ》したのか？

2018年12月20日　初版発行

著　者　倉石　灯
中野　博
発行者　吉田啓二

発行所　株式会社日本実業出版社　東京都新宿区市谷本村町３−29 〒162-0845
大阪市北区西天満６−８−１ 〒530-0047
編集部　☎03-3268-5651
営業部　☎03-3268-5161　振　替　00170-1-25349
https://www.njg.co.jp/

印刷／厚徳社　　製本／若林製本

この本の内容についてのお問合せは、書面かFAX（03-3268-0832）にてお願い致します。
落丁・乱丁本は、送料小社負担にて、お取り替え致します。

ISBN 978-4-534-05654-2 Printed in JAPAN